EL NIÑO Y SU MUNDO

Prevenir la obesidad infantil con una dieta sana

Gianfranco Trapani

ONIRO

Título original: *Mamma, mi chiamano ciccione*
Publicado en italiano por Red Edizioni, Milano

Traducción de Daniel Menezo

Diseño de cubierta: Valerio Viano

Fotografía de cubierta: Stock Photos

Distribución exclusiva:
Ediciones Paidós Ibérica, S.A.
Avda. Diagonal 662-664, Planta Baja - 08034 Barcelona - España
Editorial Paidós, S.A.I.C.F.
Defensa 599 - 1065 Buenos Aires - Argentina
Editorial Paidós Mexicana, S.A.
Rubén Darío 118, col. Moderna - 03510 México D.F. - México

Red Edizioni, Milano © 2006

© 2007 exclusivo de todas las ediciones en lengua española:
   Ediciones Oniro, S.A.
   Avda. Diagonal, 662-664, Planta Baja - 08034 Barcelona - España
   (oniro@edicionesoniro.com - www.edicionesoniro.com)

ISBN: 978-84-9754-268-5
Depósito legal: B-12.301-2007

Impreso en Hurope, S.L.
Lima, 3 - 08030 Barcelona

Impreso en España - *Printed in Spain*

Para mis hijos, Beatrice y Gabriele, y para mi esposa, Monica.

Para Atilio Gibelli, Nicolò Lavazza, Chiara Lanteri y Giacomo Tambone, por la ayuda que me han prestado mientras escribía este libro.

Sumario

RECETAS LIBRES DE GRASA PARA TODOS

Prefacio

Claudio Fabris y Enrico Bertino*

Este libro va destinado a los padres, es sencillo y ameno pero también riguroso, y habla de un tema controvertido pero, al mismo tiempo, de gran actualidad, como es el problema del sobrepeso infantil y los consiguientes trastornos físicos (el síndrome metabólico, las enfermedades cardiovasculares y la hipertensión, los tumores y la esteatosis hepática) y psicológicos.

Hoy en día la obesidad —pero también el sobrepeso— es una verdadera epidemia entre los niños. Emmanuel Stamatakis ha descrito un aumento en el porcentaje de la obesidad, tanto entre niños pequeños como entre los alumnos de educación primaria, que ha pasado del 1, 8 % en 1984 al 6, 6 % en 2003 (Arch Dis Child, 2005). David Haslam, que recoge los datos epidemiológicos a nivel mundial, escribe que al menos el 10% de los niños comprendidos en sus cálculos padecen lo que se puede clasificar como «sobrepeso» u «obesidad» (Lancet, 2005).

Esta «epidemia» ha experimentado un notable aumento entre los años 2000 y 2005 y, paradójicamente, no se trata de una enfermedad del Estado del Bienestar: se acentúa más entre las clases sociales menos acomodadas, debido a que en ellas resulta más fácil adquirir alimentos baratos y ricos en calorías. Por tanto, en los países en vías de

---

* Claudio Fabris es profesor de Neonatología en la universidad de Torino. Enrico Bertino es profesor asociado de Pediatría en la misma universidad.

desarrollo, a la malnutrición de los pobres se añade la obesidad de las personas que disfrutan de mejores recursos económicos.

La principal dificultad para tratar el sobrepeso en los niños consiste en la falta de conocimiento por parte de los médicos, los pacientes y sus familias, que no siempre son conscientes del hecho de que la obesidad es por sí sola una auténtica enfermedad, ni de la importancia de combatirla.

En los países donde existe la figura del pediatra familiar, es necesario concienciar por una parte a los médicos y por otra a los padres de la posibilidad que tienen para detectar este problema en sus primeras fases, y por tanto evitarlo. Se explica a los padres que el exceso de peso a los cuatro años de edad es, después de la obesidad de los padres, el factor de riesgo más importante para la adolescencia y la edad adulta, y que las patologías relacionadas con él son muchas y más peligrosas que las enfermedades infecciosas, porque son engañosas, invasivas y crónicas.

La tarea que este libro propone a los padres, a los niños y también a los pediatras de familia, es la de comenzar a «trabajar» de antemano, antes de que se manifieste la obesidad. El consejo principal es el de ser padres responsables; durante el embarazo, la madre debe seguir una alimentación adecuada, prolongar el amamantamiento durante todo el tiempo que sea posible y proporcionar al bebé una alimentación equilibrada ya durante el destete, y después durante toda la infancia y la adolescencia.

En concreto, la invitación presente en las páginas siguientes es la de no dejar solo al niño, especialmente delante de la televisión o de un videojuego, sino más bien ayudarle a llevar una vida activa. El correcto equilibrio entre la alimentación y el estilo de vida es lo único que permite alcanzar y mantener un peso adecuado y disfrutar de una vida sana dentro de una familia que también lo sea.

Estamos seguros de que una aplicación coherente de los consejos que se ofrecen en estas páginas supondrá una gran ayuda para los padres y los pediatras que quieren empezar a hablar de este problema con las familias de sus pequeños pacientes.

El porqué de este libro

El problema de la obesidad se ha convertido ya en algo tan alarmante que tenemos que enfrentarnos a él cotidianamente; en numerosos artículos de las páginas de los diarios aparecen titulares bastante catastrofistas, como por ejemplo: «Los niños gorditos también corren el riesgo de padecer enfermedades cardíacas»; «Sobrepeso y obesidad, un problema emergente entre la población»; «La salud infantil: el sobrepeso y los trastornos psicológicos se encuentran entre las patologías más importantes».

Los expertos en nutrición sostienen que la obesidad es una enfermedad por derecho propio, que puede causar diabetes y trastornos cardiovasculares también en los niños. La radio y la televisión conceden un amplio espacio a estas informaciones, llamando la atención de las familias; por tanto, parece que los países industrializados y «acomodados» están haciendo un gran esfuerzo, cargado de buena voluntad, para combatir la obesidad, «la epidemia del tercer milenio», «la catástrofe del siglo XXI», «la posible causa del final de nuestra civilización»...

En consecuencia, podríamos imaginar que tanto las familias como las instituciones docentes y los profesionales de la salud están plenamente involucrados en este esfuerzo, destinado a mejorar la calidad de vida de los niños y a garantizarles un futuro más sano.

A pesar de ello, si observamos con más atención los comportamientos individuales en la comunidad, en las escuelas y en las familias, detectaremos una realidad completamente distinta. A mí, por ejemplo, al principio de cada año escolar, me toca emitir cotidianamente certificados para que los niños con sobrepeso o claramente obesos no reciban regularmente una ración de alimentos que sea el doble o triple de la que reciben los demás alumnos; o bien para que en los comedores escolares, o en casa, a los niños de postre se les dé fruta, y no pastelitos, bizcochos u otras chucherías a base de chocolate y crema. Además, a menudo los dietólogos y expertos en alimentación se ven obligados a acudir a las escuelas para enseñar a los cocineros y cocineras responsables de la distribución de los alimentos a preparar las porciones correctas evitando caer en excesos.

La importancia de modificar el estilo de vida

Los administradores de algunas regiones italianas, como por ejemplo Molise (en la cual el porcentaje de niños obesos resulta ser el más elevado del país), se han dado cuenta de que las modificaciones negativas del estilo de vida (la instauración del hábito de comer demasiado y mal y de hacer poco movimiento y menos deporte) han creado una generación de niños y de adolescentes que padecen sobrepeso. Por tanto, en estas regiones se está intentando mejorar las cosas, pero en realidad ésta no es más que una tesela en el mosaico del que forma parte toda Europa y, en general, todo el mundo industrializado.

El comportamiento que aprenden los pequeños resulta muy difícil de erradicar (e incluso simplemente de modificar) cuando alcanzan la edad adulta.

Hoy día los niños y los muchachos tienden a comer poca fruta, verdura, legumbres y pan integral, y prefieren las bebidas azucaradas, las patatas fritas, los quesos grasos, los yogures elaborados y azucarados y los zumos de fruta envasados; en vez de salir a jugar al patio o practicar un deporte, prefieren quedarse delante del televisor o de la consola de videojuegos. Lo único que puede dar una respues-

ta adecuada a este problema es el esfuerzo conjunto de las instituciones públicas, los educadores y las familias.

Los objetivos que se propone alcanzar este libro son modificar el
estilo de vida, preparar el futuro tomando del pasado las ideas mejores y más útiles, poner por obra la experiencia acumulada durante
años de profesión, todo ello con intención de apoyar a los padres y
estimular a los niños para que sean más equilibrados de pequeños y
más sanos de adultos; en realidad, la salud de mañana sólo se obtiene modificando los hábitos negativos del presente.

LAS DUDAS DE LOS PADRES

«¿Mi hijo está gordo o es obeso?»

Bien puede suceder que mamá y papá se den cuenta de que su hijo, a quien hace años que están suministrando vitaminas y reconstituyentes, está un poco rellenito; esto quiere decir que han empezado a observarlo con más atención.

Los pastelitos y las galletas que se le han dado constantemente al niño «porque no me come lo suficiente», se han ido convirtiendo en una grasa que se ha acumulado de forma visible. En este punto, la comida que se da como premio o para transmitir afecto e interés resulta ser un arma de doble filo. Ahora tenemos a un niño protegido, mimado, viciado, cuyos deseos materiales se satisfacen rápidamente, que compensa su insatisfacción picando alimentos en cualquier momento del día menos cuando se sirven en la mesa durante el desayuno, el almuerzo y la cena, y que, en apariencia sin comer nunca, padece sobrepeso o, directamente, obesidad.

Pero para decidir si un niño tiene sobrepeso o es obeso no basta con la impresión de los padres, sino que es necesario consultar datos científicos aunque, con el paso de los años, las certezas se van convirtiendo en «incertidumbres», y las situaciones que en un momento determinado se consideraron seguras ahora se pueden volver a definir como «de riesgo».

Peter Whincup, profesor de epidemiología cardiovascular en la St George's Hospital Medical School (Escuela de medicina del Hospital St. George, en Londres), en un estudio realizado sobre más de 500 adolescentes robustos, entre 13 y 15 años (de los cuales a 157 se les ha venido haciendo un seguimiento desde que tenían 9), pero con un índice de masa corporal (IMC, ver más adelante) no considerado de riesgo y muy por debajo de la obesidad, ha descubierto que los vasos sanguíneos de estos muchachos tienen menos elasticidad que la de otros jóvenes de su misma edad pero mucho más esbeltos. Entre todos los motivos de alarma que oímos diariamente hay uno nuevo: el riesgo de padecer enfermedades cardiovasculares, que se manifiesta ya en la infancia y que aumenta de forma exponencial entre los adolescentes.

Numerosas investigaciones científicas demuestran —y nosotros lo repetiremos más veces en las páginas de este libro— que *todos los daños provocados por el sobrepeso y por la obesidad son reversibles siempre que se modifique el estilo de vida y la alimentación, y que se practique un deporte.* Lamentablemente, por lo general la gente se resiste a aceptar esta realidad, por lo cual es importante comenzar pronto a instilar en los niños hábitos saludables.

Cómo evaluar la estructura física de un niño

Algunos niños son robustos debido a factores de constitución, mientras que otros tienen sobrepeso o son decididamente obesos. Para evaluar correctamente el estado nutricional de su hijo, los padres pueden recurrir a un método sencillo y seguro (aunque, en el entorno médico, siga estando en tela de juicio): el índice de masa corporal o Body Mass Index (BMI). Se trata de un sistema de medición que se expresa mediante una fórmula matemática:

IMC = peso corporal (expresado en kg) dividido por estatura (expresada en metros y elevada al cuadrado).

En la práctica:

IMC = *peso* (kg) : altura (m)^2

Pongamos algunos ejemplos, introduciendo así el término *porcentaje* (para entenderlo mejor se puede consultar, a continuación, el apartado «El concepto de "porcentaje"»):

- Gabriel tiene 12 años y, aparentemente, su peso es normal. Mide 1, 55 m y pesa 40 kg. Su IMC será:
  40 kg : (1, 55 × 1, 55) = 40 : 2, 41 = 16, 59, o bien casi 17.
  (En la tabla de porcentajes se sitúa entre el 25 y el 50 %.)

- Juana tiene 12 años y, aparentemente, tiene sobrepeso. Mide 1, 60 m y pesa 60 kg. Su IMC será:
  60 kg : (1, 60 × 1, 60) = 60 : 2, 56 = 23, 43, o bien casi 23.
  (En la tabla de porcentajes se sitúa en el 90 %.)

- Julia tiene 14 años y parece ser que tiene bastante sobrepeso. Mide 1, 65 m y pesa 75 kg. Su IMC será:
  75 kg : (1, 65 × 1, 65) = 75 : 2, 72 = 27, 58, o bien casi 28.
  (En la tabla de porcentajes se sitúa por encima del 95 %.)

De todos modos, quiero precisar que, a pesar de que numerosos estudios confirmen que los niños con sobrepeso corren un mayor riesgo de padecer enfermedades y trastornos, yo estoy convencido de que lo más importante para un niño es «sentirse bien en su propio cuerpo». Si es rellenito, pero vive feliz en medio de una familia que le quiere y está atenta a sus necesidades, si come alimentos sanos y poco elaborados, es activo y practica un deporte, no hay que caer en alarmismos inútiles. Basta con tenerlo controlado y ponerlo a dieta (o hacerle seguir una alimentación controlada) sólo si tiende a la obesidad.

En un estudio realizado en 2004 en Austria, la República Checa, Dinamarca, Bélgica, Finlandia, Francia, Alemania, Grecia, Lituania, Irlanda, Israel, Portugal, Eslovaquia, Suecia y Estados Unidos, que comprendía a 29.242 muchachos de entre 13 y 15 años, que medía el IMC según los parámetros indicados y aprovechando los que había establecido en Estados Unidos el National Center for Chronic

Disease and Health Promotion (CDC), se ha detectado una mayor incidencia de sobrepeso entre los jóvenes estadounidenses, mientras que el porcentaje más bajo correspondió a los lituanos. También se dieron valores muy elevados en Irlanda, Grecia y Portugal, lo cual prueba que las costumbres y hábitos alimentarios de las nuevas generaciones se están uniformando a nivel mundial.

Estos datos nos hacen reflexionar y subrayan lo indispensable que es que los padres controlen el peso de sus hijos durante el delicado período de la adolescencia, incluso dejando en segundo plano sus propias exigencias, para acompañarles en esta fase de la vida, que es muy hermosa, pero que todavía presenta dificultades y riesgos que hay que afrontar y superar.

Éste es el motivo de que la interpretación del IMC de los jóvenes no se haga en clave puramente «dietológica»: de hecho, desde el nacimiento hasta la adolescencia la alimentación juega un papel importante en la interacción entre padres e hijos y, teniendo en cuenta los efectos que provoca, puede revelar la presencia de un malestar dentro de la familia.

La masa grasa y la masa magra: el «contraataque» de la adiposidad

En el organismo humano se pueden detectar dos componentes fundamentales: la *masa grasa* y la *masa magra*.

- La *masa grasa* está formada por tejido adiposo (graso) que es pobre en agua, no quema calorías y es absolutamente inerte (si vuestro hijo tiene sobrepeso o es obeso, probablemente la medición de su masa grasa, un proceso que incumbe al médico, puede ayudar al propio facultativo a valorar el tratamiento más adecuado).
- La *masa magra* está formada por el tejido muscular, que es rico en agua y que influye notablemente.en el metabolismo, consumiendo muchas calorías.

El concepto de «porcentaje»

Para interpretar de forma correcta el valor del IMC, se hace referencia a la tabla de porcentajes que, al poner en relación la edad expresada en años del niño sujeto a examen con su índice de masa corporal, y consultando dónde se sitúa en el gráfico del crecimiento, permite saber si tiene sobrepeso, peso normal, si corre el riesgo de sobrepeso o si es claramente obeso.

- El porcentaje se emplea para relacionar entre sí datos distintos pero siempre homogéneos, es decir, que pertenezcan a la misma categoría (estatura, peso, presión arterial), y ver cuánto se alejan de la línea media, correspondiente al porcentaje 50 %, que se considera la normalidad absoluta para el valor estudiado en el examen.
- El porcentaje del peso de un niño se obtiene comparándolo con el de 100 niños de su edad «normales». Si el peso se sitúa en el 25 %, aquel niño tendrá un 75 % de niños «normales» que pesan más que él y 25 % de «normales» que pesan menos. Una cifra que resulte inferior al 3 % o superior al 97 % indica la presencia de una patología.

Peso bajo	IMC por edad inferior al 5 %
Normal	IMC por edad superior al 5 % e inferior al 85 %
Riesgo de sobrepeso	IMC por edad superior al 85 % e inferior al 95 %
Sobrepeso	IMC por edad superior o igual al 95 %

Entre los adultos, el valor del IMC basta para evidenciar el riesgo de problemas de peso; en cambio, entre los niños el IMC varía en función del sexo y de la edad. Por ejemplo, en la tabla siguiente, relativa al crecimiento de una niña, se aprecia que, aunque el IMC ha ido variando con el tiempo, el porcentaje sigue siendo el mismo.

Edad	IMC	Porcentaje
2 años	18, 4	90 %
5 años	17, 4	90 %
8 años	19, 2	90 %
14 años	24, 6	90 %

Cómo aumenta la masa grasa

El patrón de crecimiento de los niños es discontinuo, pero la masa grasa aumenta siguiendo unas reglas precisas, descubiertas tras años de estudio y de atentas observaciones.

- Durante el primer año de vida, la masa grasa del niño aumenta notablemente; de hecho, el pequeño aumenta más de peso que de estatura.
- Más adelante, cuando el niño empieza a caminar y a correr, entra en contacto con otros niños (por ejemplo, si lo llevan a la guardería) y se enferma más fácilmente, aumenta más su estatura que su peso. Algunos niños suben tan sólo un kilo de peso durante un año, lo cual causa una gran inquietud a sus padres; sin embargo, es probable que los niños gocen de buena salud.
- Una vez superados los 5-6 años de edad, el niño vuelve a engordar, y empieza a acumularse la masa grasa.
- Si esta acumulación de grasa no se controla, el niño de 8 años o el adolescente se ponen «rellenitos». Muy a menudo, este fenómeno es motivo de gran satisfacción para los abuelos (y, a veces, también para los padres), que ignoran cómo en sus hijos o nietos se está abonando un terreno fértil para que surjan enfermedades orgánicas que podrían manifestarse en la edad adulta.

En la práctica, los padres deben observar si el «contraataque», el «retorno de la grasa» (o bien el nuevo aumento de peso del niño), es muy precoz. De hecho, cuando este regreso se manifiesta antes de los 5 o 6 años, aumenta el riesgo de que el niño sea obeso al llegar a la adolescencia y, por tanto, siga siéndolo de adulto.

- Una niña con sobrepeso u obesa podría anticipar su primer ciclo menstrual (llamado «menarquia») y tenerlo sobre los 9 años, una circunstancia que aumenta el riesgo de empeorar su estado, porque los estrógenos de la pubertad pueden contribuir a un ulterior aumento de peso. Si el IMC de una niña a punto de tener la menstruación se sitúa en torno al 25 %, hay un riesgo elevado de que padezca sobrepeso durante la adolescencia.

- El niño que es gordo o claramente obeso a los 8 años, puede recuperar un peso normal al llegar a la pubertad. Eso sí, cuanto más precoz haya sido el «contraataque» de la masa grasa, más difícil será ajustar su peso a la normalidad cuando sea adulto.

«¿Por qué mi hijo está demasiado gordo?»

No resulta fácil responder a esta pregunta; en realidad, hay niños (y también adultos) que aparentemente comen poco, o que se someten a dietas férreas, y que aun así no consiguen adelgazar.

La relación entre el índice glucémico de los alimentos y el peso corporal

Pongamos un ejemplo: según la «teoría del índice glucémico» de los alimentos, la pérdida de peso va ligada a los alimentos que consumimos. Una dieta que tenga en cuenta este tipo de valores debería facilitar el control del peso; pero si no está asociada con un estilo de vida equilibrado y una atención adecuada por parte de los padres, no sirve de nada.

Qué se entiende por «índice glucémico»

El índice glucémico es un valor de referencia que tiene que ver con la velocidad con la que el cuerpo transforma los carbohidratos y los convierte en azúcar (glucosa), la sustancia que emplea el cuerpo para producir energía.

La presencia de azúcar en la sangre es indispensable para la vida celular; si una dieta contiene poco o nada de azúcar, el organismo la extrae primero de las grasas del cuerpo y, segundo, de las proteínas. El cuerpo absorbe los azúcares contenidos en los alimentos que pasan a la sangre (más rápidamente si son azúcares simples, y más lentamente si son complejos). La glucemia, es decir, el azúcar presente en la sangre después de comer, provoca variaciones en una hormona (la insulina) producida en el páncreas, que regula el uso del azúcar en la producción de energía.

Si tomamos como referencia 50 g de glucosa pura, o la cantidad de pan blanco que la contiene, el índice 100 es el tiempo que tarda ese azúcar en pasar a la sangre. Por tanto, cuanto mayor sea la velocidad con la que se transforman los alimentos, más alta será la cifra del índice glucémico. Por ejemplo, si un alimento tiene un índice glucémico de 50 querrá decir que aumenta la glucemia con una velocidad pareja a la mitad del tiempo que tarda la glucosa pura en penetrar en el torrente sanguíneo.

La carga glucémica también tiene en cuenta la cantidad de alimentos ingeridos; la liberación de insulina (la hormona que, como hemos dicho, permite transformar el azúcar en energía) es mayor cuanto más alta es la carga glucémica de los alimentos.

Los otros factores que influyen en el peso

En realidad, para estar seguros no basta con consultar la tabla del índice glucémico o medir la cantidad de alimentos; de hecho, aunque es cierto que el pan integral tiene un índice de 48 y el blanco de 71, el albaricoque de 32 y el plátano de 56, las zanahorias de 74 y la calabaza de 78, se trata solamente de valores sobre los que influyen otras variables. Por ejemplo:

- la forma del alimento;
- el método de cocción;
- las transformaciones industriales súbitas por las que pueda haber pasado;

- la presencia de fibras o de sustancias que obstaculizan la absorción del azúcar;
- las interacciones con grasas, proteínas y sales que, a su vez, interfieren con la absorción.

Además, hay otros factores adicionales a tener en cuenta:

- las características biológicas (herencia);
- los aspectos conductuales (la familia, la escuela, los compañeros);
- los factores sociopolíticos (bajo nivel socioeconómico);
- las enfermedades y el uso excesivo de fármacos;
- la escasa actividad física.

Éstas son causas añadidas que, por sí solas o asociadas de diversas maneras, pueden provocar un aumento precoz del peso de los niños, los adolescentes y, consiguientemente, de los adultos.

Por eso es tan importante adoptar una alimentación y un estilo de vida correctos ya desde pequeños, antes de que el problema del peso arraigue en la vida.

La influencia del aspecto económico sobre la elección de los alimentos

Numerosos estudios han demostrado cómo la obesidad y el problema del sobrepeso están más extendidos entre las familias con ingresos bajos. Esta contradicción aparente se atribuye a la mala calidad de los alimentos que consumen estas personas, dado que prefieren los alimentos «refinados» y más baratos, con alto contenido en azúcar, grasas y calorías; éstos proporcionan una mayor sensación de saciedad, pero favorecen la formación y la acumulación de la grasa. De hecho, y paradójicamente, la fruta y la verdura son hoy día más caras que los bizcochos, los pastelitos y las bebidas con gas e hipercalóricas.

En países como Colombia y Brasil, donde la renta per cápita es muy baja, el porcentaje de obesos se acerca al 40 %, mientras que en la India y en China, donde las condiciones económicas de una parte de la población urbana están mejorando rápidamente, se ha pasado, en el plazo de una generación, de la desnutrición a la obesidad. Además, en estos países, a consecuencia de la urbanización forzada y a la introducción en las dietas locales de malos productos de la industria alimentaria occidental, el número de personas gordas u obesas ha pasado, en 10 años, del 15 al 30 %.

La influencia del comportamiento familiar sobre la alimentación

Para entender mejor «por qué mi hijo está demasiado gordo» está bien disponer de un cuadro significativo del comportamiento del niño (o el adolescente) dentro de su familia:

- pasa mucho tiempo solo, porque los padres trabajan;
- come mucho y mal para pasar el rato, o para compensar la frustración por no sentirse aceptado;
- tiene a su alcance demasiados bizcochos, pastelitos, bebidas con gas, alimentos hipercalóricos, y los consume por aburrimiento o por hábito, incluso cuando no tiene hambre;
- el ambiente familiar es problemático: los padres no están de acuerdo, tienen problemas laborales u otros motivos de tensión, y «tienen contento» al niño poniendo a su disposición alimentos que le gustan mucho, pero de mala calidad. El niño (o adolescente) los consume en exceso, para aliviar la angustia que le provoca la situación familiar;
- la familia tiene malas costumbres: por la mañana no encuentran un momento para desayunar, y durante el día la hora de las comidas no es regular; por tanto, el niño tiene libertad para picotear cuando quiera alimentos hipercalóricos y refrescos con gas;

El «picoteo»: una mala costumbre

La práctica de comer entre horas está tan extendida que, para definirla, ha hecho falta acuñar un término nuevo, el «picoteo», para indicar precisamente el consumo excesivo de tentempiés. Los resultados de este hábito son tan negativos que algunas empresas alimentarias están introduciendo en el mercado líneas de productos más saludables con el fin de evitar males mayores a los consumidores habituales de tentempiés poco saludables. Las propias empresas aconsejan evitar los alimentos con un alto contenido en grasas vegetales y en azúcares simples y elegir alimentos que contengan carbohidratos complejos, cereales integrales, pocas grasas y que, en general, sean más digeribles.

El riesgo del sobrepeso vinculado con la herencia

El sobrepeso y la obesidad son patologías que, como estamos viendo, dependen de numerosos factores; la presencia en la familia de unos padres obesos o con sobrepeso es uno de los factores más importantes para prever la posibilidad de que el niño ya tenga sobrepeso o lo llegue a tener con el tiempo.

Se han realizado numerosos estudios con niños adoptivos de cuyos padres (tanto los adoptivos como los biológicos) se conocía el peso, así como con gemelos monocigóticos. Tales estudios han demostrado que la tendencia al sobrepeso va unida a la familiaridad más que a las costumbres alimentarias y al estilo de vida. En la práctica, si los dos padres son obesos, la posibilidad de que los hijos también lo sean es del 60-70 %, mientras que en el caso de los hijos adoptivos este porcentaje se reduce. No obstante, se ha observado que, mejorando los hábitos alimentarios cotidianos y acostumbrando a los miembros de la familia a realizar más actividades físicas, se consigue controlar muy eficazmente el problema del peso.

Finalmente, vale la pena recordar que si uno solo de los progenitores es obeso o tiene sobrepeso, el riesgo de que los hijos padezcan el mismo problema se reduce a menos del 30 %. La correlación más estrecha entre la obesidad de los padres y la de los hijos se verifica cuando la madre se interesa por la obesidad y el sobrepeso.

- Unos estudios realizados en Finlandia durante un lapso de tiempo muy amplio, han demostrado cómo el peso del feto durante el embarazo y su peso cuando nace tienen el mismo IMC (índice de masa corporal; véase el capítulo anterior), que permanece invariable durante la infancia y la adolescencia y que es parecido al IMC de los padres. Además, cuando se da un estilo de vida y de hábitos alimentarios correctos, el amamantamiento cumple una función protectora frente al riesgo de que el niño, de pequeño o siendo ya adulto, pueda tener problemas de sobrepeso o de obesidad.

- Esos mismos estudios se repitieron en Canadá y los resultados, publicados en 2005, han sido parecidos: para el 18 % de las niñas, tener uno de los dos progenitores obeso se correspondía con una tendencia al sobrepeso, y un 10 % de ellas tendía a la obesidad; para un 22 % de los niños, el hecho de que uno de sus padres fuera obeso predisponía a sus hijos a padecer sobrepeso, y para el 12 % a la obesidad. Tanto para los varones como para las hembras, se ha vuelto a demostrar la relación entre la mayor tendencia al sobrepeso o a la obesidad y la ausencia de actividad física.

- Un estudio realizado en Alemania, con 89 familias, basado en la posibilidad de asociar un mapa genético con una patología, ha permitido detectar en el adulto o el adolescente obeso la presencia frecuente de secuencias concretas de genes. Esto no quiere decir que se haya descubierto el gen de la obesidad, pero demuestra que no es absurdo pensar que los genes juegan un papel en el sobrepeso y la obesidad.

Cuando la obesidad depende de una enfermedad

Un niño delgado o con un peso normal puede engordarse de forma imprevista y volverse claramente obeso en un periodo de tiempo breve.

Si bien el tratamiento de la obesidad escapa al propósito de este libro, señalaremos algunas enfermedades caracterizadas por la obesidad, la baja estatura y el retraso en el crecimiento óseo: el hipotiroidismo debido a una infección en la tiroides (tengamos en cuenta que los diagnósticos precoces en los centros de neonatología de todo el mundo industrializado han hecho desaparecer el hipotiroidismo congénito); el síndrome de Klinefelter (la forma más frecuente de las anomalías que afectan a la diferenciación sexual); el síndrome de Prader Willi (una forma de obesidad genética) y, en general, todas las endocrinopatías (enfermedades de las glándulas que producen hormonas). El aumento constante e imprevisto del peso debe comentarse con el médico de cabecera, que procederá a realizar las comprobaciones oportunas.

Los fármacos que hacen engordar

También existen algunos fármacos que favorecen la acumulación de grasa, como por ejemplo los corticoides recetados para algunas enfermedades inflamatorias crónicas (de las cuales suele abusarse en las terapias a base de aerosoles); la terapia insulínica en caso de diabetes; o el uso precoz de estrógeno-progesterona (presente en las pastillas anticonceptivas).

En el caso de que sea indispensable recurrir a estos medicamentos, es esencial la ayuda del pediatra o del médico de familia, porque los efectos colaterales de estas terapias son muy subjetivos.

El papel fundamental de la actividad física

Muchos niños con sobrepeso son simpáticos y alegres; practican actividades deportivas como el fútbol, el tenis o la natación, a menudo a un nivel competitivo, y tienen muchos amigos.

Un «día típico» de un niño

No basta con realizar una actividad física limitada a dos o tres horas de deporte durante la semana. Fijaos: en un día, un niño se pasa de cinco a siete horas en un banco de la escuela, dos haciendo deberes, dos delante de la televisión o del ordenador, nueve durmiendo...

En total, 20 horas: las cuatro restantes se reparten entre el tiempo técnico necesario para desplazarse por la ciudad, las relaciones familiares, las comidas, las cenas y los desayunos.

Es así como, en general, se sacrifica la actividad deportiva, y no compensa en modo alguno las horas dedicadas a actividades sedentarias.

Sin embargo, basta un leve problema de salud, como por ejemplo un periodo de inmovilidad debido a un accidente o la necesidad de usar durante un tiempo determinado fármaco, para que el niño pase de ser un «gordito simpático» a ser un «obeso simpático», aumentando así exponencialmente el riesgo de padecer trastornos graves cuando sea adulto (por ejemplo, diabetes o hipertensión).

En el mundo occidental, el estilo de vida actual ha trastocado la relación entre lo que comemos, el valor calórico y energético de los alimentos y el consumo de calorías necesarias para vivir.

Han aumentado los alimentos ricos en calorías y en grasas y, al mismo tiempo, se ha generalizado la tendencia a evitar todo gasto energético: ya no vamos caminando a ningún sitio, sino en automóvil, en motocicleta, en ascensor, con las escaleras mecánicas o con los medios de transporte públicos. Incluso para hacer una llamada telefónica no es necesario más que sacar el móvil del bolsillo... Las tardes en que de niños jugábamos al aire libre, se han visto sustituidas por las dos horas semanales de gimnasia en el colegio, integradas, cuando viene bien, con otras dos de actividad deportiva; los niños prefieren estar delante de una pantalla (de ordenador, consola de videojuegos, televisión, etc.), en ambientes caldeados en invierno y climatizados en verano. La consecuencia de estos comportamientos, a los que se añade una publicidad que nos machaca con anuncios de alimentos prefabricados e hipercalóricos, es un desequilibrio entre la cantidad de alimentos que ingerimos y el gasto energético, con el resultado de que el sobrepeso y la obesidad se extienden por todas partes.

«El hecho de que un niño sea gordito, ¿perjudica a su salud?»

El niño con sobrepeso puede tener, sin duda, mayores problemas de salud con respecto a los niños que tienen un peso normal. En algunos casos, tener «mayores problemas» puede querer decir que tendrá muchísimos...

Distingamos primero entre los problemas orgánicos y los psicológicos. Entre las enfermedades que afectan al organismo, tenemos las siguientes:

- enfermedades del aparato respiratorio;
- trastornos del sueño;
- asma;
- trastornos ortopédicos (problemas de sobrecarga, artrosis, fracturas por golpe, etc.);
- enfermedades del aparato digestivo (colecistitis, problemas de páncreas);
- diabetes de tipo 2;
- enfermedades cardiovasculares;
- enfermedades renales (esclerosis glomerular);
- alteraciones de la grasa en sangre (hipercolesterolemia, hipertrigliceridemia);
- hipertensión;
- pubertad precoz;
- síndrome del ovario poliquístico (entre las niñas);

- problemas inflamatorios del aparato genital femenino (vulvo-vaginitis).

Entre los trastornos psicológicos, recordamos los siguientes:

- tendencia a la pasividad, la abulia, la rutina;
- tendencia a la hipocondría;
- bajo nivel de autoestima;
- problemas de adaptación al colegio;
- depresión y neurosis.

De adulto, el niño obeso podrá verse afectado por trastornos como, por ejemplo:

- cardiopatía isquémica (infarto);
- hipertensión;
- alteración del colesterol y otras grasas en sangre;
- diabetes sacarosa de tipo 2 (exceso de azúcar en sangre);
- osteoporosis;
- trastornos conductuales.

Los trastornos físicos del niño gordito

- Tanto en la guardería como en la escuela elemental, los niños con sobrepeso padecen con mayor frecuencia que sus compañeros *enfermedades de las vías respiratorias* (resfriados, bronquitis, etc.). Probablemente la causa de éstos es la inmadurez de todo el sistema inmunológico, típica de esta edad y que, en los niños con sobrepeso, se asocia a la dificultad respiratoria, debida a la conformación anatómica del abdomen y del tórax, y a la escasez de actividades físicas.
- Los *trastornos del sueño* se derivan de la dificultad respiratoria, asociada con el engrosamiento de las amígdalas y de las glán-

dulas adenoides, y con la conformación anatómica particular del niño con sobrepeso. Esta situación provoca un aumento de la dificultad respiratoria nocturna, con una interrupción súbita de la respiración (apnea). Las apneas nocturnas reducen el grado de oxígeno en sangre y, por tanto, el sueño resulta menos reparador. Por eso aunque el niño duerma doce horas, estará menos descansado y, durante el día, le costará más concentrarse, estará más irritable y tendrá problemas escolares siempre más evidentes debido a los trastornos de conducta que, poco a poco, se irán acentuando. No olvidemos que, a largo plazo, las apneas nocturnas pueden provocar lesiones cardíacas importantes.

- La asociación entre *asma y obesidad* es muy frecuente entre los niños, y comporta una serie de trastornos en la función respiratoria, que facilitan la tendencia del niño al sedentarismo y «refuerzan» ambos trastornos.
- Los *trastornos ortopédicos* vienen provocados por una carga excesiva del peso en la columna vertebral y los cartílagos de las articulaciones. La artrosis, es decir, la consunción de los cartílagos articulares, aparece precozmente cuando el peso que descansa sobre las rodillas es excesivo desde la primera infancia, y aumenta la probabilidad de que haya que intervenir quirúrgicamente al niño. Además, el niño obeso a menudo tiene problemas en los pies: por ejemplo, puede tener pies planos bilaterales, asociados con dolores en la columna vertebral y dificultad para caminar y para correr.
- Las *enfermedades cardiovasculares y metabólicas* son muy frecuentes en los niños, los adolescentes y, consiguientemente, los adultos con sobrepeso.

Numerosos estudios han puesto en evidencia esta correlación: el corazón y el sistema circulatorio se resienten del peso excesivo, y a menudo los niños gordos padecen hipercolesterolemia e hipertensión, hasta el punto de que cuando son adultos estas enfermedades pueden verse agravadas en progresión aritmética, hasta reducir la esperanza de vida. El aumento del colesterol total y del colesterol-LDL (el colesterol malo que se acumula en las paredes arteriales) provoca una acumulación de grasa en el hígado (la denominada «esteatosis hepática») y facilita la formación de cálculos biliares. El sobrepeso provoca un aumento de las formas de intolerancia al azúcar que, en ocasiones, se manifiesta en forma de diabetes sacarosa o hiperinsulinismo asociadas con insulinorresistencia; éstas son el motivo de la persistencia del sobrepeso y de la obesidad infantiles (como es evidente, en muchos casos la enfermedad parece una serpiente peligrosa que se muerde la cola, un círculo vicioso que es origen de enfermedades).

- Las niñas y adolescentes con sobrepeso pueden presentar fenómenos de *inflamación de los genitales externos* (vulvovaginitis), ya sea por desconocimiento de las normas higiénicas elementales, o por las dificultades objetivas que, a menudo, impiden realizar una limpieza correcta. Naturalmente, como sucede con todas las niñas, en general la ausencia de estrógenos, la fragilidad del aparato genital externo y el pH alcalino (básico no ácido) facilitan la aparición y persistencia de las bacterias.

Los trastornos psicológicos del niño gordo

Ya sabemos que los niños pueden ser muy «crueles», y a menudo sucede que les gusta acosar a un compañero con cancioncillas y excluirlo del grupo; con frecuencia, el excluido es un «gordito».

El niño obeso o con sobrepeso suele ser también el blanco de las regañinas de los adultos, que no dejan de repetirle que no coma patatas fritas, chocolate o pastel, porque contienen demasiada grasa; o bien lo agobian acusándole de ser «gordito» porque se pasa demasiado tiempo delante de la televisión o del ordenador.

Un niño con sobrepeso ya tiene bastantes dificultades para relacionarse con los demás; por tanto, cualquier consejo o sugerencia, por muy acertados que sean, si no se le ofrecen con tacto y simpatía, consiguen empeorar incluso más su estado de ánimo, haciendo que el niño se vuelva más introvertido y triste.

Todo esto se traduce en una personalidad poco abierta, con tendencia al aburrimiento y a la pasividad. Este niño tendrá dificultades para afrontar los problemas cotidianos, tanto los académicos como los otros: lo mortifican las críticas de su familia y le frustra su incapacidad de superarlas. Estas dificultades, presentes ya en la infancia, provocan graves problemas relacionales en la adolescencia y, en los casos más graves, pueden abocar al sujeto a la depresión.

Además, los problemas escolares también son importantes; de hecho, de cada 100 niños obesos más de 45 tiene problemas para concentrarse y mantener la atención. Cuando el rendimiento académico disminuye y las notas van de mal en peor, el porcentaje de abandono de la escuela aumenta.

Por si fuera poco, la alimentación de los niños y los jóvenes con sobrepeso a menudo es desequilibrada; el exceso de alimentos grasos, de azúcares refinados y de «comida basura», asociado a la carencia de sustancias vitales, como las vitaminas, las sales minerales y los antioxidantes naturales, reduce la capacidad de aprendizaje.

Si a este cuadro le sumamos las observaciones negativas por parte de los familiares, la actitud agresiva y punitiva de los amigos y la escasa confianza en las propias capacidades, podremos entender perfectamente de dónde pueden surgir los numerosos problemas educativos que tienen muchos niños y adolescentes obesos o con sobrepeso.

LOS ALIMENTOS PERJUDICIALES Y LOS ALIMENTOS BENEFICIOSOS

Los alimentos perjudiciales: errores alimentarios y malos hábitos

Los malos hábitos alimentarios son frecuentes entre los niños del Occidente industrializado, y lamentablemente se están extendiendo por todo el mundo.

Los estudios realizados sobre la alimentación en la infancia identifican «los posibles desequilibrios que, en un mosaico complejo, contribuyen a la aparición de enfermedades crónico-degenerativas en la edad adulta». En un artículo reciente (C. Agostoni, «Abitudini alimentari nei bambini e negli adolescente europei», publicado en *Doctor Pediatria*, septiembre de 2005), se resumían los hábitos alimentarios en diversas zonas de Europa, dividiendo a la población en función del tipo de alimentación de la siguiente manera: países mediterráneos, francófonos, escandinavos, anglosajones y eslavos. El descubrimiento principal fue un aumento global de la obesidad entre los niños y los adolescentes de toda Europa, con la consiguiente influencia sobre la obesidad entre los adultos y el aumento de las patologías de tipo crónico y degenerativo, típicas de nuestros tiempos. No obstante, la obesidad, para la que no existen diferencias entre los géneros, parece predominar menos entre los niños que entre los adolescentes, y muestra una mayor incidencia en los países eslavos.

Además, hay numerosos estudios epidemiológicos que demuestran que las enfermedades debidas a la alteración de la grasa en sangre están aumentando de forma imprevista, ya sea por la vía genéti-

Los malos hábitos nacidos de un mal ejemplo

Diversos estudios demuestran que los niños obesos suelen desayunar menos veces que los que tienen un peso normal, y cómo el aporte calórico de los alimentos ingeridos es más alto respecto al gasto energético. Además, se ha demostrado que los niños no son conscientes de la cantidad de alimentos que consumen cuando están viendo la televisión o leyendo un tebeo (y los adultos, tampoco).

Los padres juegan un papel fundamental (que, lamentablemente, a menudo es negativo) en los hábitos alimentarios de los hijos en edad preescolar y escolar. Existen además otros «maestros» potencialmente negativos: la televisión, la publicidad, los amigos y los grupos con que se reúnen los adolescentes.

H. K. Battle y K. D. Brownell, dos famosos especialistas norteamericanos, han afirmado recientemente que «es difícil imaginar un ambiente más eficaz que el nuestro para producir niños obesos». Este «ambiente» se ha extendido por todo el mundo industrializado, y se está difundiendo por los países en vías de desarrollo; en estos países, la introducción de la «comida basura», que venden baratas las multinacionales alimentarias, aumentan la ingesta energética de la población (es decir, la incorporación de energía bajo la forma de calorías). Mientras tanto, la importación de un nuevo estilo de vida (típicamente occidental) reduce, al mismo tiempo, el gasto energético. Este sistema perverso, que asocia hábitos conductuales perjudiciales con una mala alimentación, es la causa de la difusión mundial de la obesidad, y origina muchos problemas para mantener controlado el peso de los niños y, en consecuencia, de los adultos.

ca (por ejemplo, en los países escandinavos) como por la ambiental y nutricional (por ejemplo, en España).

Todas estas investigaciones demuestran que, para volverse obeso, no basta con una predisposición genética, sino que también son importantes los hábitos nutricionales; éstos son precisamente los que debemos abordar con las medidas preventivas. Por tanto, los padres deben prestar mucha atención a la alimentación (y al peso) de los hijos ya desde que están en el vientre materno, y después del parto, durante la lactancia y el primer año de vida.

Los errores alimentarios más frecuentes

A continuación ofrecemos una lista exhaustiva de los errores que suelen cometerse cotidianamente:

- distribución incorrecta de las calorías a lo largo del día;
- platos principales inadecuados, intercalados con tentempiés;
- mala calidad de los alimentos, con pobre aporte de fibra y cantidades de calcio y de hierro insuficientes para los adolescentes;
- ausencia de un desayuno auténtico y correcto, sustituido por unos pocos alimentos muy calóricos pero apenas nutritivos;
- ausencia de fruta, ya sea durante las horas entre comidas o en la dieta cotidiana de un trabajador;
- dieta monótona, que consiste en la ingesta de los mismos alimentos día tras día;
- escaso consumo de verdura cruda y cocida;
- abundancia de «comida basura» (pastelitos, barritas, patatas fritas, dulces industriales, bebidas con gas y azucaradas);
- abundancia de alimentos grasos (embutidos, fritos, ragú de carne);
- abundancia de alimentos muy calóricos (grasas saturadas, grasas de origen animal, azúcares simples), y con un bajo contenido en vitaminas y en fibra.

Además de esto, por lo general, la alimentación del niño occidental presenta las siguientes características negativas:

- en el 15 % de los casos contiene demasiadas proteínas de origen animal (hiperproteica);
- en el 32-38 % de los casos es demasiado rica en grasas saturadas (hiperlipídica);
- en el 48-52 % de los casos contiene pocos azúcares complejos, mientras contiene dosis excesivas de azúcares refinados, que se absorben rápidamente.

Demasiada comida y poco gasto energético

Esta tendencia queda confirmada por una prueba ulterior, que se obtiene examinando algunos datos procedentes de Estados Unidos:

«Pagas poco y comes mucho»

La faceta más inquietante de la comida-basura es que una sola porción contiene casi todas las calorías que un niño necesita al día. Además se encuentra en cualquier parte, es barata y se pueden adquirir platos abundantes, mientras que a la gente le cuesta más acceder a la fruta y la verdura, que encima tienen un precio notablemente superior.

A esto hemos de añadir que, en casi todas las escuelas, se han instalado máquinas que venden golosinas y bebidas demasiado azucaradas, que los niños y los adolescentes pueden adquirir personalmente, atracándose de alimentos llenos de ácidos grados saturados. Así se pierde la costumbre de comer fruta y verdura, alimentos ricos en fibras, vitaminas y micronutrientes.

- En 1970, el 17% de los niños estadounidenses comía fuera de casa; de ellos, el 2% prefería alimentos con un alto contenido energético, ricos en grasas y proteínas, pero pobres en vitaminas y sales minerales (algo típico en las comidas rápidas);
- En 1990, el porcentaje de niños que comía fuera de casa había ascendido al 30% (respecto a 1970, la cifra se ha duplicado); el 10% iba picando, durante todo el día, «comida basura» (se ha quintuplicado).
- De 1965 a 1996 el consumo de refrescos (naranjadas, limonadas, gaseosas, colas) ha pasado de 175 g a 500 g al día por niño (en el transcurso de 30 años, la cifra se ha triplicado).
- En Estados Unidos, los niños pasan el 75% de su tiempo haciendo actividades que exigen poco gasto energético; la parte más importante de este tiempo la dedican a ver televisión, estar delante del ordenador, navegar por Internet o jugar con una consola de videojuegos. Dedican únicamente unos 12 minutos al día a alguna actividad física de cierta importancia.

Además, en algunos países existe la tendencia a considerar las clases de educación física (¡práctica, no teórica!) como algo superfluo respecto a las otras materias del currículum, y en el marco del programa educativo siempre disponen de menos espacio que otras. Aparte, las instalaciones deportivas en las escuelas suelen ser escasas o inadecuadas, y los gimnasios insuficientes. En las grandes ciudades se reducen los espacios disponibles para actividades lúdicas y deportivas, mientras se difunde la cultura de la inactividad gracias a la oferta de medios cada vez más sofisticados para optimizar los resultados con el mínimo esfuerzo (ver también el capítulo «¿Por qué mi hijo está demasiado gordo?»).

Los alimentos perjudiciales que hacen engordar

Cuando van a comprar, a menudo las familias optan por adquirir aquellos alimentos que tienen un precio más bajo, sacian rápidamente y son fáciles de conservar y de cocinar; por tanto, prefieren la cantidad a la calidad. Éstos pueden ser algunos ejemplos negativos:

- alimentos muy calóricos, con un índice glucémico elevado (que aportan calorías pero no alimentan);
- pan blanco refinado;
- patatas fritas congeladas;
- tentempiés varios (pastelitos, dulces, galletas rellenas);
- zumos de fruta, bebidas azucaradas (o con edulcorantes artificiales) y con gas;
- carnes rojas y grasas, ricas en grasas saturadas (que aumentan el nivel de colesterol en sangre y favorecen las enfermedades cardiovasculares);
- mantequilla, nata, quesos;
- margarina vegetal, rica en grasas saturadas hidrogenadas;
- alimentos precocinados con aceites vegetales (que desarrollan los ácidos grasos en su forma *trans*; ver la pág. 52).

La cantidad de calorías que se obtienen comiendo este tipo de alimentos supera con creces las necesidades cotidianas; son de poca calidad pero tienen una enorme capacidad de aumentar la producción de insulina, favoreciendo que en el organismo se acumulen las grasas en los tejidos y, por tanto, fomentando la obesidad. Todas las sustancias nocivas contenidas en estos alimentos y, en concreto, los *ácidos grasos trans, además de ser carcinógenas e influir negativamente en las hormonas y en el sistema cardiovascular, favorecen el envejecimiento precoz de la piel y del cerebro.* Por tanto, son peligrosas no sólo para los niños sino también, y especialmente, para los adultos.

- Las *proteínas*, que superan con creces la cantidad aconsejada normalmente, son casi exclusivamente de origen animal. Se consume poco pescado, aunque sea congelado. La carne a buen precio proviene, seguramente, de los criaderos industriales de ganado, donde se usan piensos ricos en sustancias tóxicas (toxinas ambientales, fármacos y, a pesar de que está prohibido su uso, a veces hormonas), que se concentran en la grasa y en los tejidos.

- La *fruta* y la *verdura* (o bien las *vitaminas, sales minerales y fibra*) casi brillan por su ausencia en la lista; por eso este tipo de dieta resulta pobre en aquellos micronutrientes indispensables por su acción antioxidante y protectora del organismo. Todos los *condimentos*, las *salsas*, los *zumos de fruta*, los *refrescos azucarados*, las *tabletas de chocolate y cereales* hacen que aumente el nivel de azúcar en sangre, eliminando la sensación de hambre pero reduciendo el aporte de sustancias beneficiosas, como los macronutrientes necesarios para el crecimiento y el bienestar del organismo.

El resultado de una mala alimentación

Una dieta cotidiana a base de alimentos perjudiciales como los que hemos incluido en la lista anterior no impide el crecimiento del niño, pero, con el tiempo, sí repercute negativamente en su salud:

- favorece la obesidad, la hipertensión, las enfermedades cardíacas, los trastornos renales, cardíacos, las alteraciones de las funciones cerebrales;
- favorece la aparición de fenómenos inflamatorios que, con el paso de los años, provocan enfermedades autoinmunes (artritis, sinovitis, bursitis, tendinitis) y, en general, todos esos trastornos dolorosos que padecen los ancianos;
- aumenta la frecuencia de las enfermedades degenerativas, empeora su evolución y acelera el envejecimiento (que, paradójicamente, comienza al final de la primera infancia).

Con el paso de los años, estas consecuencias tan negativas sobre la salud podrían, a su vez, provocar graves perjuicios económicos para la familia y para toda la sociedad. De hecho, el aumento progresivo de la obesidad y, por tanto, de las enfermedades degenerativas y metabólicas, es un perjuicio para toda la comunidad, que se hace sentir sobre todo en el sistema económico y cultural de los países más ricos e industrializados.

Los riesgos que se corren al comer fuera de casa

Analicemos ahora la calidad de los alimentos que podemos consumir distraídamente en el *fast-food*, el bar o el restaurante. Este tipo de régimen alimentario, asociado con un estilo de vida incorrecto, puede considerarse la peor dieta que se haya seguido en toda la historia de la humanidad...

Atención a los alimentos que contengan:

- ácidos grasos saturados (carne y salsas);
- ácidos grasos insaturados trans, como por ejemplo el aceite de cocción (ver «Los ácidos grasos trans, la margarina y las grasas vegetales hidrogenadas»);

Ambiente, alimentación y salud

Se ha demostrado que el ambiente y la alimentación tienen una gran influencia sobre la salud. Por ejemplo, la población de los Inut (esquimales), cuando viven en los territorios donde han habitado durante milenios, alimentándose casi exclusivamente de pescado, no padece enfermedades cardíacas y coronarias; en cambio, en cuanto se mudan a otros países y cambian su régimen alimentario, se ven afectados por esas enfermedades exactamente de la misma manera que los habitantes de esos países anfitriones.

- el ácido erúcico, contenido en el aceite de cocción (si no se ha eliminado mediante las técnicas OGM), es cancerígeno;
- sustancias con acciones cancerígenas, como la acrilamida, originada por los aceites de cocción que han alcanzado o superado el punto de humo (ver «El punto de humo, la acroleína y el aceite de colza»);
- los azúcares simples con un alto índice glucémico (pan blanco, bebidas azucaradas, zumos de fruta, patatas fritas, dulces);
- el exceso de proteínas (por ejemplo, la carne y el helado);
- colorantes, conservantes, aditivos, espesantes, estabilizantes, emulsionantes contenidos en las salsas, las ensaladas listas para ser servidas y la fruta (para permitir su conservación); en helados, granizados y bebidas azucaradas.

Esta lista podría prolongarse bastante más. Comer bien fuera de casa siempre es difícil, pero no llevar nunca a los hijos al restaurante de comida rápida puede crear otros problemas. Un fenómeno tan importante y extendido no se puede liquidar con un simple juicio negativo: cuanto menos, hay que someterlo a examen.

Cómo controlarse con la comida rápida

Para evitar demonizar la comida rápida, lo cual conseguiría incluso volverla más fascinante, más tarde o más temprano hemos de dejar que nuestros hijos la prueben. En lugar de prohibirles que vayan a ese tipo de restaurante, intentaremos explicarles por qué no es bueno comer esas cosas; si nuestros hijos tienen que ir «porque es que van todos mis amigos», al menos asegurémonos de que harán un uso responsable.

Sí sois vosotros mismos quienes les acompañáis, intentad que se coman el bocadillo sin salsa y las patatas fritas sin mayonesa (mejor aún, con el ketchup, la salsa de tomate); en lugar de una bebida gaseosa y edulcorada, que tendréis que permitir que tomen de vez

Los ácidos grasos trans, la margarina y las grasas vegetales hidrogenadas

• *¿Qué son los ácidos grasos trans?*

Los ácidos grasos están compuestos por átomos de carbono, hidrógeno y oxígeno. En los ácidos grasos insaturados, los átomos están por encima (forma «cis») o por debajo (forma «trans») de la cadena de los átomos de carbono. La forma «cis», más frecuente en la naturaleza, se digiere fácilmente y no provoca enfermedades. En la naturaleza, la forma «trans» casi no se encuentra, y sólo se debe a la acción de las bacterias en el estómago de los rumiantes; por tanto, se encuentra en la leche, los productos lácteos y la carne roja de los herbívoros (no aparece en la carne de caballo ni de cerdo). La forma trans, que se puede crear artificialmente (rompiendo los vínculos dobles entre los átomos de carbono y añadiendo átomos de hidrógeno) sirve para hacer más apetecibles y fácilmente utilizables algunas categorías de aceites vegetales. En ambos casos, el proceso de refinado de los aceites vegetales, el aceite sometido a elevadas temperaturas o su uso repetido para freír, facilitan la transformación de la forma cis a la forma trans, que es nociva.

Por tanto, evitad en lo posible la margarina sólida (que se obtiene por fraccionamiento del aceite vegetal), que contiene muchos ácidos grasos trans; los dulces ricos en grasas vegetales hidrogenadas; los aceites parcialmente hidrogenados usados para freír, sobre todo las patatas; no os paséis con la mantequilla, la leche y la carne.

• *¿Qué efectos tienen?*

Se han estudiado y descrito los efectos negativos sobre el colesterol: aumentan el valor de las lipoproteínas de baja densidad (LDL), y reducen el nivel de las lipoproteínas de alta densidad (HDL), favoreciendo la precipitación del colesterol en las arterias y causando así las enfermedades cardiovasculares.

• *¿Por qué son tan peligrosos los ácidos grasos trans?*

Los ácidos grasos de forma cis tienen una estructura geométrica «dulce» y redondeada, mientras que los trans son más largos y rígidos; por eso alteran las membranas celulares, favoreciendo la formación de complejos sólidos de grasa en los vasos sanguíneos; cuando los vasos están parcialmente obstruidos, estos complejos sólidos se precipitan.

- *¿Qué cantidad de ácidos grasos trans se pueden ingerir diariamente?*
El 0, 5 % de las calorías diarias, es decir, ¡poquísimo! Con tomarse un piscolabis ya superamos el límite tolerado para un día. Sin embargo, con los alimentos frescos es muy difícil superar la dosis permitida.

- *¿Cómo abordan este tema las empresas alimentarias?*
Desde 2005, en las etiquetas de algunos productos ha aparecido el mensaje: «alimento sin grasas vegetales hidrogenadas».

en cuando, bebed agua mineral y, en lugar del helado, escoged la macedonia de fruta o la ensalada.

Después de una comida de este tipo es necesario reequilibrar las sustancias tóxicas ingeridas con una buena caminata o cualquier actividad deportiva. Es cierto que no resulta fácil convencer a los hijos; alguna vez les podéis permitir que «infrinjan las leyes» un poco más.

Como principio, aconsejo a los padres:

- no dejar a sus hijos solos delante de la televisión o de los videojuegos;
- hacerlo jugar con otros niños, y hacer que el adolescente forme parte de un equipo deportivo;
- motivarlo, buscando un ambiente sano, donde el deporte no sea un medio de afirmación personal o social, sino tan sólo un momento agradable de socialización y de diversión.

A estas alturas ya no será un problema que los niños, *de tanto en tanto*, vayan a comer algo al restaurante de comida rápida, siempre que cumplan todas las normas indicadas.

También hemos de comentar que, últimamente, al menú de esos restaurantes se ha incorporado la fruta y la verdura.

Sin embargo, debéis recordar que, para enseñar a vuestros hijos a comer sano, hay que empezar cuando son muy pequeños, dándoles siempre un buen ejemplo y ofreciéndoles alimentos no sólo sanos, sino también atractivos y sabrosos; si no, resultará difícil convencerles.

Si además el estilo de vida de vuestros hijos es activo, se podrán permitir alguna que otra transgresión.

La verdad es que los productos alimenticios precocinados y congelados, los helados elaborados y las salsas en bote no son un veneno de efecto rápido que provoque daños inmediatos en el niño ni en el adulto. Lo que sí es perjudicial es su consumo cotidiano, como también lo es el hecho de no digerir las sustancias nocivas fruto de la digestión, debido a otros errores de alimentación (por ejemplo, la ausencia de fruta y verdura), unidos a un estilo de vida sedentario.

Por tanto, y resumiendo, subrayamos lo siguiente: un punto de vista informado y crítico al problema de la alimentación y al estilo de vida permitirá disfrutar de una buena calidad de vida y evitar el sobrepeso y la obesidad.

Cómo motivar a un niño para que siga un estilo de vida correcto

Resulta difícil convencer a unos padres felices con su sobrepeso de que es necesario que su hijo, que ya es gordito, adelgace; sin embargo, cuando esos padres con problemas de sobrepeso se dirigen al médico experto en busca de ayuda, se crean unas sinergias que permiten la aparición de resultados inesperados. Antes de ceder, seguramente los padres con sobrepeso o claramente obesos habrán probado diversas dietas y acudido a centros de estética, y no quieren que sus hijos experimenten las mismas desilusiones que ellos.

Los intereses económicos en juego

Las grandes multinacionales de la alimentación se gastan una cantidad de dinero impresionante en promover el consumo de comidas con alto contenido energético y mala calidad nutricional: crean cadenas de restaurantes de comida rápida; instalan en las escuelas distribuidores de refrescos y de tentempiés; invierten en publicidad y convencen a los niños de que compren (y obliguen a sus padres a comprarles) comida basura en el supermercado y las tiendas.

El motivo de la invasión de alimentos nocivos es, principalmente, económico: de hecho, a la industria le cuesta menos y le resulta más rentable producir comida basura que alimentos de buena calidad, sanos y nutritivos.

El buen ejemplo dado por la familia es lo único que puede contrarrestar esta tendencia impuesta por el mercado, que provoca perjuicios a nuestros hijos y por tanto, como ya hemos subrayado varias veces a la sociedad del futuro.

Cambiar los hábitos alimentarios para mejorar el estado de salud, evitando el sobrepeso y la obesidad, no significa en absoluto renunciar a los placeres de la comida, sino descubrir nuevas experiencias alimentarias y redescubrir sabores olvidados, enseñando a los niños las combinaciones correctas de alimentos que irán formando su gusto; acompañándolos durante el paso de los años, ya sea durante la adolescencia o durante toda su vida.

Al principio es posible que el niño no siempre esté de acuerdo, pero, con el tiempo, apreciará los sabores familiares de la comida que le dan en casa, y se acordará cuando crezca; de esta manera, los buenos hábitos aprendidos de pequeño influirán beneficiosamente en su salud cuando sea adulto.

Saben que hoy día la obesidad se considera una enfermedad por sí sola, que en el futuro tendrá consecuencias cada vez más graves, y son conscientes de que sus hijos tendrán que enfrentarse a los mismos problemas de salud que ellos (más los problemas de relación con otros). También comprenden que la única manera de que los hijos se vayan adaptando a modificar su forma de alimentarse y sus comportamientos cotidianos es que ellos, como padres, les den ejemplo. El niño gordo no tiene por qué convertirse en un atleta, sino tan sólo estar mejor, moverse más y realizar actividades físicas. Frecuentar un grupo deportivo alguna vez a la semana puede ser importante, pero no basta para modificar el metabolismo si no se insertan estas horas en un contexto cotidiano activo.

Ejemplos de actividades físicas cotidianas que se pueden proponer a los niños

- Ir al colegio a pie; si la escuela está muy lejos se puede aparcar el coche a cierta distancia, para poder dar un buen paseo hasta llegar a ella.
- Mandar al niño a hacer algún recado (a la panadería, al quiosco).
- Pedir al niño que nos eche una mano en las tareas domésticas (poner y quitar la mesa, fregar el suelo, pasar el plumero).
- Pasear al menos 40 minutos cada día (no por el centro, parándose en cada escaparate, sino en un parque, a la orilla de un río, junto al mar), quizá con un grupito de otros niños.
- No dejar al niño solo mucho tiempo; si quiere jugar con el ordenador o la consola, llevarlo primero a caminar al menos una hora. Si hace muy mal tiempo y hay que quedarse en casa, se puede practicar un poco de bicicleta estática.
- Permitir que, después del colegio, el niño juegue al menos una hora antes de ponerse a hacer los deberes.
- Organizar una actividad que incluya la participación en un equipo deportivo durante el año.

- Montar los horarios de modo que el niño duerma al menos 10 horas cada noche.
- No tener la televisión encendida durante las comidas, porque desvía la atención de los alimentos y hace comer más de lo necesario. Evitar también la televisión en el dormitorio.
- Escuchar la radio y, cuando emitan una música agradable, bailar y hacer bailar al niño.
- Favorecer los momentos de encuentro y de complicidad, por ejemplo llevando juntos a pasear al perro. Regalar un perro al niño (si aún no tenéis uno) para que siempre tenga al lado un amigo fiel, puede motivarlo a caminar más rato.
- Llevar regularmente al niño a la playa, a la montaña, al campo o al lago, donde poder hacer juntos largos paseos.

El punto de humo, la acroleína y el aceite de colza

La acroleína, una sustancia tóxica y peligrosa para el hígado, la produce el recalentamiento de algunos aceites cuando alcanzan el punto de humo, es decir, cuando se calientan demasiado y humean en la sartén o, en el horno, superan los 180° C (el aceite humea aunque no se perciba el humo). Por tanto, sería recomendable no freír con demasiada frecuencia, y cocinar los alimentos en el horno a una temperatura inferior a los 180° C.

Recordamos que algunos aceites (de colza, de girasol y de maíz) tienen un punto de humo en torno a los 220-245° C, mientras que el aceite de oliva virgen extra tiene su punto de humo a 210-240° C.

El punto de humo del aceite de colza gira en torno a los 220° C; cuando éste se supera, el aceite produce, además de acroleína, ácido erúcico, que también es muy nocivo. El aceite de colza lo usan sobre todo los restaurantes de comida rápida y los preparados alimenticios industriales (por ejemplo, las patatas fritas, el maíz frito, las palomitas de maíz).

Estas sugerencias parecen incluso banales, porque aparentemente constituyen la base de una comunicación serena y equilibrada entre padres e hijos.

En realidad, esos hábitos se han sustituido por comportamientos más «cómodos» y menos complicados.

Un estudio coordinado realizado por Claudio Maffeis, de la Clínica Pediátrica de Verona, sobre un total de 1.800 niños de nueve años, ha revelado que el 4, 6 % es obeso y el 6 % tiene sobrepeso; estos datos coinciden plenamente con la situación internacional. Además, paradójicamente, tras las causas y los factores de riesgo la alimentación parece quedar en un segundo plano, porque ya se empiezan a notar los primeros efectos de las campañas de educación alimentaria: la fruta vuelve a ser la merienda que se llevan los niños a la escuela, y se han reducido drásticamente los tentempiés poco saludables. Ahora aparecen, en su lugar, los peligros del sedentarismo.

C. Maffeis escribe que, durante un día, los niños duermen 10 horas y pasan ocho en la escuela (incluyendo el trayecto en coche o en el medio de transporte público); por tanto, les quedan siete horas libres. De éstas, dos y media las pasan delante de una pantalla (televisor, ordenador, consola de videojuegos). De las cuatro horas y media restantes, los niños sólo dedican tres a la semana a realizar actividades físicas, dentro de un grupo deportivo (de esas tres, sólo dos son efectivas). Por tanto, si los hábitos familiares no incluyen una actividad motora constante, libre de condicionamientos y compartida por ambos padres, el niño está destinado, con bastante probabilidad, a padecer sobrepeso u obesidad.

La escuela también juega un papel importante en este aspecto, dado que puede ofrecer una información correcta sobre la alimentación y favorecer la actividad deportiva.

Por mucho que lo repitamos, nunca será suficiente: hoy en día, el sedentarismo, el sobrepeso y la obesidad son auténticos enemigos de la salud, porque los niños de los países occidentales comen demasiado y se mueven poco.

Roberto Bertollini, director del programa *Salute e Ambiente* de la OMS Europa, ha declarado que «la lucha contra el sedentarismo de las nuevas generaciones es un objetivo de las instituciones sanitarias, para convertir las ciudades en lugares más a la medida de los niños, y para proteger su salud».

Los alimentos beneficiosos

Las vitaminas y la fibra de la fruta y de la verdura

La importancia de la fruta y de la verdura es algo que se reconoce a nivel mundial, no sólo para enfrentarse a la obesidad y al sobrepeso, sino por su demostrado papel como protector frente a las enfermedades metabólicas y cardiovasculares; de hecho, las frutas y verduras son una fuente óptima de azúcares, vitaminas y sales minerales, además de ser ricas en *fitoquímicos*, compuestos vegetales antioxidantes (que actúan contra los radicales libres). Estos elementos son verdaderos reguladores del desarrollo celular incontrolado (tienen valor antitumoral) y de la respuesta inmunitaria. Todos estos componentes, asociados entre sí, realizan un trabajo de protección: regulan directamente el metabolismo y actúan contra la obesidad, una de las principales causas del aumento de los casos de diabetes, de alteraciones de grasa en sangre, de hipertensión y de la aparición de tumores (en la próstata, el útero, el intestino y el colon).

Por tanto, debemos comer más fruta y verdura y ser conscientes de su utilidad para nuestra salud, de tal modo que podamos convencer a nuestros hijos para que superen esa resistencia que a menudo presentan frente a algunas verduras. El uso regular y cotidiano de las hortalizas y las frutas reduce el aporte de calorías, grasas y proteínas, y permite absorber azúcares de diversas características.

Cómo comer correctamente frutas y verduras

- Tomar un tentempié a base de fruta a media mañana o a media tarde.
- Evitar los refrigerios industriales, sustituyéndolos por una pieza de fruta, una zanahoria o un tallo de hinojo crudo.

Cada mañana, cinco porciones

La propuesta de comer fruta y verdura cinco veces al día nació en Estados Unidos, donde las malas costumbres alimentarias han llegado hasta el punto de que no hace falta más que pasear por la calle para darse cuenta de que la obesidad es la norma. Al verse inmersos en un mar de grasas, proteínas y azúcares, los norteamericanos han buscado algunos remedios, estudiando modelos alimentarios válidos y útiles, entre los cuales se encuentra el consumo diario de cinco porciones de fruta y verdura. Algunas grandes empresas de distribución alimentaria han lanzado campañas promocionales de la fruta y de la verdura, que están demostrando generar buenos beneficios para las propias empresas, pero que sin duda también son una buena influencia para la salud de los niños y de sus familias. Por tanto, en este caso los intereses económicos pueden coincidir con el bienestar de la comunidad, mejorando la salud y traduciéndose en una reducción de los gastos sanitarios.

Además, en Europa, en el año 2000, Alemania lanzó la campaña alimentaria de «cinco al día», patrocinada por el Ministerio de Sanidad y de Agricultura y apoyada por varias asociaciones culturales, que defiende la salud de los ciudadanos. Poco después fueron surgiendo otras iniciativas análogas por todas partes: de Finlandia hasta Grecia y de Austria hasta Portugal.

- Empezar la comida con una ensalada, enriqueciéndola quizá con nueces o piñones para garantizar el aporte de sales minerales, vitaminas, fibras, sustancias antioxidantes y antitumorales, y grasas vegetales.
- Comer verdura y fruta de color amarillo anaranjado (contiene vitamina A) y de color amarillo verdoso (contiene vitamina C), así como crucíferas (calabaza, brécol) y liliáceas (ajo, cebolla), porque tienen un efecto antitumoral y reducen la hipertensión.
- Beber zumos de fruta y de verdura (por ejemplo, de zanahoria o de tomate) preparados al momento (para evitar su oxidación).
- Preferir, cuando sea posible, frutas y verduras crudas (para reducir la pérdida de vitaminas) y enteras, o como máximo cortadas a pedazos grandes (para reducir la pérdida de fibra).
- Si cocéis las frutas y verduras, cuidado con el método empleado (para reducir la pérdida de sales y vitaminas).
- Usar preferiblemente productos frescos y del tiempo, recordando que, cuando más tiempo transcurre entre la cosecha y el consumo, más disminuyen las vitaminas y las sales minerales. De vez en cuando, también podéis recurrir a los productos congelados o de importación.
- Tener en cuenta que, según la guía publicada en 1997 por el Instituto Nacional de Investigación de los Alimentos y la Nutrición (Inran), el peso medio de una pieza de fruta debe ser de 150 g; un plato de ensalada, al menos debe pesar 50 g, y una porción de hortalizas, 250 g.

A continuación añadimos algunas indicaciones para facilitar estas buenas costumbres:

Para la fruta:
- muy grande (melón, sandía): una porción corresponde a una rodaja;
- grande (manzana, melocotón, pera, naranja): una porción corresponde a una pieza;

- media (albaricoque, higo, mandarina): una porción corresponde a 2 o 3 frutos;
- pequeña (frutos del bosque, fresas, cerezas): la cantidad correspondiente a una porción equivale a dos terceras partes de una taza de café con leche (250 ml).

Para la verdura:
- hortalizas de piel gruesa (tomate, hinojo, alcachofas, zanahorias): una porción corresponde a una hortaliza;
- legumbres (habas, judías, guisantes, garbanzos): una porción corresponde a la mitad de una taza de café con leche;
- ensaladas: escoged un plato que contenga 50 g y regulad la cantidad usándola como referencia;
- verdura en hojas: seguid el mismo procedimiento sugerido para la ensalada, pero elegid un tazón donde quepan 200-250 g.

Éste es un ejemplo de cómo tomar cinco porciones de fruta y verdura a lo largo de un día:

- *fruta*: una pera, una manzana, unas cuantas uvas;
- *verdura*: un hinojo, tres zanahorias crudas, calabaza hervida con la pasta.

Estas porciones son las indicadas para los adultos, mientras que para los niños deben reducirse en función de su edad, su peso y sus exigencias nutricionales, teniendo presente, además, que cuanta más fruta y verdura coman, mayores serán los beneficios para su salud presente y futura.

Para averiguar cuál es la porción de fruta adecuada para un niño, se puede elegir un fruto que tenga más o menos el tamaño de su puño. Su ración completa y diaria de vegetales debe rondar los 400-500 g.

Colores y propiedades saludables
de la fruta y la verdura

Verdura	Fruta	Propiedades
Ensalada, perejil, albahaca, espárragos, brécol, espinacas, calabacín	Kiwi, uva blanca	Color prevaleciente: *verde*. Contienen sustancias que refuerzan los vasos sanguíneos, los huesos y los dientes. Son útiles para mejorar la vista.
Coliflor, cebolla, ajo, champiñones, hinojo	Manzanas, peras	Color prevaleciente: *blanco*. Contienen sustancia antioxidantes y sulfuradas que controlan el nivel de colesterol, combaten las enfermedades cardiovasculares y algunos tipos de tumor.
Zanahoria, calabaza, maíz	Naranjas, melocotones, albaricoques, melón	Color prevaleciente: *amarillo-anaranjado*. Contienen sustancias que refuerzan las defensas inmunitarias.
Tomates, rábanos, pimientos, nabos	Sandía, cerezas, manzanas, fresas	Color prevaleciente: *rojo*. Contienen antioxidantes contra los radicales libres. En algunos casos previenen el cáncer de próstata.
Zanahoria, calabaza, maíz	Naranjas, melocotones, albaricoques, melón	Color prevaleciente: *amarillo-anaranjado*. Contienen sustancias que refuerzan las defensas inmunitarias.
Berenjena, achicoria	Frutos del bosque, uva roja, ciruelas, higos	Color prevaleciente: *azul* o *violeta*. Contienen antioxidantes, útiles contra las enfermedades cardiovasculares, contra algunos tumores y contra las enfermedades de las vías urinarias.

Las vitaminas

Las vitaminas son unas sustancias indispensables para el desarrollo de los procesos fundamentales de la vida y del crecimiento. Excepto la vitamina D, todas están presentes en el reino vegetal, y los organismos animales no las sintetizan: por tanto, deben introducirse con los alimentos en la cantidad adecuada para evitar la aparición de graves enfermedades de carencia o de hipovitaminosis (carencia relativa).

Clasificación de las vitaminas en función de sus propiedades químicas

Propiedades químicas	Vitaminas
Liposolubles	A, D, E, K Ácidos grasos esenciales
Hidrosolubles	B_1 (tiamina) B_2 (riboflavina) B_3 (niacina o ácido pantoténico, vitamina PP) B_5 (ácido pantoténico) B_6 (piridosina) B_8 (biotina) B_9 (ácido fólico) B_{12} (cobalamina) C (ácido ascórbico)

Dónde se encuentran las vitaminas

- En la fruta y verdura fresca.
- En la fruta no pelada.
- En las verduras cortadas en el momento de llevarlas a la mesa.
- En la macedonia de fruta o en pinchos de fruta preparados en el momento.
- En los batidos de fruta o de verdura que se toman recién hechos.
- En los zumos de fruta o de verdura que se beben recién hechos.
- En la miel integral no pasteurizada (se puede usar para endulzar los alimentos).
- En los frutos secos, no tratados químicamente (se pueden tomar como postre en lugar de algún dulce).

La diferencia fundamental entre las vitaminas liposolubles y las hidrosolubles es que las primeras se pueden acumular en los tejidos grasos del organismo, donde se almacenan como reserva. Si se acumulan en exceso producen enfermedades (por ejemplo, las convulsiones por exceso de vitamina A). En cambio, las vitaminas hidrosolubles se utilizan rápidamente y, cuando se introducen en exceso, las eliminan los riñones; por eso hay que reintegrarlas diariamente.

Las personas que corren el riesgo de padecer una carencia de vitaminas *hidrosolubles* son:

- los niños que rechazan algunos alimentos o que tienden a comer siempre los mismos;
- las mujeres embarazadas, porque necesitan un mayor aporte vitamínico;
- quien sigue una dieta desequilibrada (el exceso de proteínas requiere más vitamina B_2; el exceso de azúcar, más vitamina B_1);
- los enfermos que tienen fiebre alta, a causa del uso prolongado de fármacos (antibióticos, anticonvulsivos, anticoagulantes).

Las vitaminas contenidas en los alimentos no tienen un valor constante: las cantidades varían en función de los métodos de conservación, de recogida y de preparación de los alimentos, y del modo en que éstos se cocinen.

Los aditivos químicos, usados como conservante, también provocan pérdidas importantes de vitaminas, aunque, por ejemplo, la vitamina C se añade a la carne tratada con nitratos para evitar la formación de sustancias carcinógenas (nitrosamina).

La infancia es una etapa de la vida que se caracteriza por el crecimiento rápido, por intensos procesos de síntesis de la energía y por la formación de estructuras orgánicas (músculos, huesos, sangre); por tanto, es esencial que los niños reciban la cantidad necesaria de vitaminas. Hay que controlar el uso de la mantequilla y otros grasos en la cocina, pero no eliminarlo del todo, para evitar la carencia de vitaminas D y A; en cambio, sí hay que evitar los alimentos en conserva, que tienen un aporte muy reducido de vitamina C y de las del grupo B.

A menudo, incluso la alimentación cotidiana, por muy rica e integrada que sea, carece de algunas vitaminas (por ejemplo, la D, la E, la riboflavina, la tiamina). Por tanto, es importante asegurarse de que el aporte vitamínico sea abundante y bien equilibrado, sobre todo en lo que respecta a las vitaminas hidrosolubles.

Por ejemplo, podéis usar la fruta y la verdura en lugar de otros tentempiés entre las comidas, y para merendar proponed puré de fruta con yogur desnatado.

Las fibras

Las fibras alimentarias son las partes no digeribles y no asimilables de los alimentos vegetales. En concreto, la lignina, la celulosa y la hemicelulosa aumentan el peso y el volumen de las heces, aceleran el tránsito intestinal, reducen la absorción de las grasas, del colesterol y de los azúcares. Sin embargo, también pueden reducir la absorción de los minerales y de las vitaminas del grupo B (en concreto, este efecto lo provoca el ácido fítico presente en los cereales).

Para los niños es muy importante la capacidad que tiene la fibra para mejorar la flora bacteriana intestinal, favoreciendo el desarrollo de los gérmenes para combatir las bacterias que provocan los fenómenos de putrefacción a nivel intestinal.

Si los niños son muy pequeños, la fibra resulta muy útil para regular el tránsito intestinal, pero puede reducir la absorción de algunos principios nutritivos fundamentales para el organismo infantil, que se desarrolla rápidamente. Durante los primeros años de vida, es mejor introducir con cuidado el consumo de los productos integrales, para evitar una mala absorción de los minerales y de las vitaminas. En lugar de ello, cabe recordar que, en los adultos, las fibras insolubles (como la pectina y el guar) pueden reducir la hipercolesterolemia.

Características de las fibras alimentarias

Tipo de fibra	Dónde se encuentra	Para qué sirve
Lignina (fibra insoluble)	En la parte dura de los vegetales.	No se puede metabolizar y puede irritar el intestino. Retiene agua en los intersticios de las fibras, sin formar gel.
Celulosa (fibra insoluble)	En las hortalizas frescas.	La flora bacteriana intestinal la degrada en parte, y retiene fácilmente el agua en el intestino.
Hemicelulosa (fibra insoluble)	En todos los vegetales y los cereales «jóvenes».	Es degradable en el colon hasta el 80 %; retiene mucha agua en los intersticios de las fibras, sin formar gel.
Pectina (fibra soluble)	En la fruta con semillas.	Forma un gel viscoso; facilita la evacuación, pero puede obstaculizar la absorción de algunos nutrientes.

Dónde se encuentra la fibra

- En las legumbres.
- En la verdura en general (en particular, en el apio).
- En la fruta (albaricoque e higos secos, dátiles, ciruelas y arándanos).
- En los cereales integrales.

En la alimentación del niño y del adulto, debe existir un equilibrio entre los alimentos refinados y los ricos en fibra (cereales, verdura, fruta). En realidad, un exceso de alimentos refinados puede causar estreñimiento con dolor abdominal y meteorismo (aire en el vientre), además de favorecer el sobrepeso a causa de la elevada carga glucémica de esos alimentos. En cambio, los alimentos ricos en fibra, cuando se abusa de ellos, pueden provocar trastornos en la absorción de los nutrientes.

Las sales minerales

Las sales minerales son sustancias indispensables que están presentes en pequeña cantidad en el organismo, donde se introducen sobre

Consejos prácticos sobre el uso de las sales minerales

- Comer al menos 5 porciones cada día de fruta y verdura: la única manera de introducir en el organismo todos los elementos esenciales es mediante una alimentación variada y completa.
- Los vegetarianos ya introducen en su organismo una dosis suficiente de sales minerales, bebiendo leche e ingiriendo huevos; para los vegetarianos estrictos, sin embargo, el problema es más complejo.
- Consumir siempre alimentos frescos y de temporada.
- Comer la ensalada acabada de preparar y la fruta recién cortada para reducir al máximo la pérdida de minerales y de vitaminas.
- Beber el caldo de cocción de las hortalizas para no perder las sales que éste contiene.
- La fruta seca tiene muchísimas sales minerales, pero hace engordar, y por tanto no se puede consumir en exceso.
- No peléis la fruta, porque con piel tiene más sales minerales y vitaminas.
- Cuidado con la ingesta excesiva de sodio: no añadáis demasiada sal a los alimentos (y así evitaréis la hipertensión y la arteriosclerosis).
- Los integradores salinos resultan útiles para la rehidratación sólo si el niño o el adulto practican una actividad deportiva durante más de 4 horas. También se puede rehidratar a un niño con integradores de sales minerales si desarrolla una actividad física intensa durante más de dos horas durante el verano, cuando hace calor y se suda mucho. Por lo general, cuando se hacen actividades cotidianas, basta con beber agua.

todo con la fruta y la verdura y se eliminan por medio del sudor, la orina y las heces.

Están presentes en los huesos, los dientes, los músculos, el cerebro, el corazón, las vitaminas, las enzimas, la transmisión de los impulsos nerviosos, en las contracciones musculares y en las cardíacas.

Las sales minerales contenidas en la leche materna son lo bastante equilibradas y accesibles como para satisfacer las necesidades del lactante en el primer periodo de su vida.

Recordamos que la caseína, que reduce la disponibilidad del hierro, el cinc, el cobre y el manganeso (se liga con estos minerales formando sales insolubles), es mucho más abundante en la leche de vaca que en la humana. *Después del destete, para mantener el aporte necesario de sales minerales se deben consumir alimentos frescos, mejor si provienen de cultivos biológicos.* En concreto, se encuentran en la fruta, la verdura, las hortalizas con hojas, las algas, la sal marina integral, el aceite de germen de grano, la levadura de cerveza, los huevos, los cereales integrales, el pescado y la carne.

Los azúcares: carbohidratos simples y carbohidratos complejos

Los carbohidratos constituyen la base estructural y energética de los organismos vivos. Se clasifican en dos categorías principales: *los carbohidratos simples* y los *carbohidratos complejos*.

Los *carbohidratos simples*, de sabor claramente dulce, son digeridos y absorbidos rápidamente por el organismo.

A su vez, éstos se dividen en tres grupos:

- *monosacáridos*, como por ejemplo la glucosa, la galactosa, la fructosa (moléculas únicas);
- *disacáridos*, como por ejemplo la sacarosa, la lactosa, la maltosa (asociaciones de dos moléculas de monosacáridos);
- *oligosacáridos* (asociaciones de 3-9 moléculas de monosacáridos).

Los *carbohidratos complejos*, de sabor menos dulce, son absorbidos más lentamente por el organismo. Comprenden:

- los *polisacáridos*, como por ejemplo el almidón, el glucógeno, la celulosa (contienen muchas moléculas de monosacáridos; son cadenas largas difícilmente digeribles).

Las funciones principales de los azúcares

- Son la fuente principal de energía para el organismo: un gramo de carbohidratos proporciona 4 kcal. El cuerpo los utiliza inmediatamente, antes que las proteínas (permiten el ahorro de éstas).
- Facilitan la función óptima de las células nerviosas, de las lisas musculares y estriadas y de los glóbulos rojos.
- Los azúcares no digeribles, bajo la forma de celulosa y azúcares como la insulina, forman las fibras insolubles, que fermentan en la mucosa intestinal, alimentando a la flora bacteriana local (saprófita), para producir sustancias útiles al organismo y al propio intestino. Por tanto, aumentan el volumen de la masa fecal, facilitando la eliminación por esta vía de la mayor parte de las sustancias tóxicas.

Las fuentes alimentarias de los azúcares

Las fuentes alimentarias de los azúcares pueden tener un origen animal o vegetal. A continuación listamos algunos tipos de azúcares, y las fuentes de las que proceden.

- *Glucosa*: se encuentra en la miel, la fruta, las hortalizas y los dulces en general.
- *Glucógeno*: se encuentra en el hígado y en la carne (constituye la estructura de ambos).

Consejos prácticos sobre el uso de los azúcares

- Hay que prestar atención a los azúcares: tienen la capacidad de estimular la secreción de insulina, que favorece la acumulación de grasas.
- No añadir azúcar a las bebidas.
- No añadir azúcar a los alimentos.
- Si queréis usar azúcar, es mejor optar por el de caña.
- La miel integral no pasteurizada es una buena fuente de azúcares complejos, vitaminas y sales minerales.
- Evitar las bebidas azucaradas industriales, como los refrescos y los zumos de fruta.
- Consumir cereales integrales que contengan azúcares complejos de absorción lenta.
- Reducir al mínimo el consumo de pan blanco, prefiriendo el integral o con cereales.
- Comer arroz integral.
- Comer pasta de trigo integral y de otros cereales (farro, kamut).
- Incorporar regularmente legumbres a la dieta.
- En vez de comer patatas fritas, es mejor comer las hechas al horno o cocidas con piel.
- Consumir regularmente copos de cereales integrales no azucarados (cebada, avena, mijo, cebada, trigo).
- Incorporar brotes de cereales, estupendos para las ensaladas, ricos en vitaminas (en concreto en maltosa, que es útil para el intestino para evitar el estreñimiento).
- Comer la mayor cantidad posible de fruta y verdura, entera y sin pelar, dado que ambas son una fuente natural de azúcares complejos y de fibras útiles para el intestino.

- *Fructosa*: está presente en la fruta y en la miel.
- *Sacarosa*: se encuentra en la fruta y en muchos alimentos azucarados, como la mermelada, los dulces y las bebidas. Es el azúcar común, que se extrae de la remolacha azucarera o de la caña de azúcar, y que está compuesto de glucosa y fructosa.
- *Galactosa*: está presente en muchos alimentos.

- *Lactosa*: azúcar compuesto por glucosa y galactosa; es el azúcar contenido en la leche.
- *Maltosa*: se encuentra en los brotes de los cereales, en el grano y en la malta fermentada. Está compuesta por dos unidades de glucosa.
- *Amido*: aparece en abundancia en el pan, los cereales, los productos de panadería, las patatas y las legumbres. Está compuesto por largas cadenas de unidades de glucosa.
- *Celulosa*: es un azúcar complejo, no disponible, y constituye la fibra no digerible que fermenta en el intestino. Se encuentra en la fruta, la verdura, los cereales integrales y las legumbres.

La cantidad diaria necesaria debería constituir cerca del 55 % de la cuota calórica diaria.

- Los *carbohidratos complejos*, que se encuentran en la fruta, la verdura, los cereales y los productos integrales de panadería, en las patatas y en las legumbres, aumentan la sensación de saciedad y reducen la producción de insulina. Siempre es mejor ingerir carbohidratos complejos que simples.
- Los *carbohidratos simples*, que se encuentran en los dulces, caramelos, refrescos azucarados, el azúcar refinado y la miel pasteurizada y refinada, se absorben rápidamente: aumentan el nivel de azúcar en sangre y estimulan la producción de insulina. Hacen engordar y predisponen a padecer diabetes.

Las proteínas: carne y pescado, huevos y queso

Las proteínas cumplen una función estructural en el organismo. Son moléculas muy grandes, formadas por un número elevado de sustancias más simples (aminoácidos) unidas en cadena. Estas sustancias tienen una gran importancia, y están muy difundidas tanto en el reino vegetal como en el animal.

Consejos prácticos sobre el uso de las proteínas

- Variar lo máximo posible el aporte de las proteínas, alternando entre las de origen vegetal y las de origen animal.
- Combinar cereales con legumbres, para obtener proteínas completas.
- Evitar comer carne dos veces al día.
- Eliminar la grasa de la carne, porque en ella se concentran las sustancias tóxicas presentes en los piensos, el agua y el aire.
- Comer pescado frecuentemente, sobre todo pescado graso como el salmón, el arenque, el atún, la caballa o el pescado azul, porque éstos contienen ácidos grasos poliinsaturados de la serie omega 3.
- Cuidado con el pescado magro, como la merluza y la pescadilla, porque provoca fácilmente alergia en los sujetos sensibles.
- Si sois vegetarianos, intentad tomar equilibradamente proteínas de origen animal (leche, mantequilla, queso) y de origen vegetal (cereales y legumbres).
- No comer queso más de 3 o 4 veces a la semana, prefiriendo los quesos de cabra y de oveja.
- No asociar las proteínas de la carne y del queso en la misma comida.
- No comer al mismo tiempo mantequilla y queso fermentado.
- Tomar leche, yogur y quesos sin grasa.
- Reducir el consumo de embutidos y productos de charcutería, prefiriendo los de pollo y pavo.
- Evitar el tocino y la manteca de cerdo.
- Los huevos son una buena fuente de proteínas, pero es mejor no comer más de tres a la semana, incluyendo los que incluidos en pasteles, budines y otros productos de pastelería.

Las proteínas constituyen en torno al 15 % del peso de una persona adulta. Cada día, el cuerpo las recibe mediante la alimentación; las proteínas se degradan a aminoácidos simples y se reconstituyen formando nuevas proteínas necesarias para el organismo.

Las proteínas tienen las siguientes funciones:

- de regulación, porque intervienen en diversos procesos bioquímicos;

- de construcción plástica, porque favorecen el desarrollo del organismo y el transporte de nutrientes (colesterol, hierro, cobre, oxígeno);
- de defensa inmunitaria y de protección contra los agentes externos (la función de los anticuerpos);
- de producción de energía para el organismo.

Los requerimientos proteicos diarios están estrechamente vinculados con la edad de la persona. Como media, un adulto tiene una necesidad de ingerir un gramo por cada kilo de peso, y esta cantidad es inversamente proporcional a la edad: cuanto más pequeño sea el niño, mayor es su necesidad de proteínas.

Una dieta equilibrada comprende tanto las proteínas animales como las vegetales. Estas últimas son menos disponibles, biológicamente; en cualquier caso, para mejorar su valor nutritivo es conveniente combinar las proteínas de los cereales (ricos en metionina pero pobres en lisina) con las de las legumbres (ricas en lisina pero pobres en metionina).

- La mayor parte de las *proteínas vegetales*, pobres en algunos aminoácidos esenciales, se deriva de los cereales y de las legumbres y, en pequeñas cantidades, de las hortalizas y de la fruta.
- Las *proteínas animales*, de alto valor biológico, contienen todos los aminoácidos esenciales, en la cantidad y en las proporciones adecuadas. Las proteínas animales se adquieren comiendo carne, huevos, pescado y productos lácteos.

La calidad de las proteínas viene definida en función del contenido de aminoácidos esenciales.

Además, para conocer el valor biológico de un alimento, en 1951 se realizaron algunos estudios que arbitrariamente fijaron un índice, un valor preestablecido de 100 que, en este caso, se ha atribuido a las proteínas presentes en la clara de huevo, considerado el alimento más completo.

Por ejemplo, el índice de las proteínas de la leche oscila entre 88 y 89; el de las carnes, entre 81 y 84; el de las legumbres en torno a 70; el de los cereales, 66; en la cola de la lista figuran las verduras y las hortalizas.

Las grasas y los aceites animales y vegetales

Las grasas son fundamentales para el organismo, dado que son los elementos constitutivos de los organismos vivos. Se pueden subdividir de la siguiente manera:

- ácidos grasos;
- fosfolípidos;
- triglicéridos;
- esfingolípidos;
- colesterol;
- cerebrósidos.

Los ácidos grasos

A su vez, los ácidos grasos o lípidos simples se dividen en tres grupos principales:

- Las *grasas saturadas*, que tienen una estructura molecular compacta y sólida, intervienen en los procesos metabólicos. Si se consumen en exceso, se acumulan sobre las paredes de las arterias, formando placas de grasa que pueden causar arteriosclerosis. Por lo general son de origen animal y constituyen una importante fuente energética. Su acumulación no depende sólo de la alimentación, sino también de factores de riesgo ambiental, como el tabaco, el sobrepeso, la hipertensión, la diabetes y la escasa actividad física.

- Las *grasas monoinsaturadas*, que tienen una estructura más elástica (tienen un único vínculo doble entre los átomos de carbono, que se oxida con dificultad); son de origen animal o vegetal. Por lo general tienen un aspecto líquido (aceite).
- Las *grasas poliinsaturadas*, que cuentan con una estructura aún más elástica (tienen dos o tres vínculos entre los átomos de carbono, que se oxidan con mucha facilidad, y tienen el aspecto líquido del aceite o, si son más densos, de la grasa blanda); tienen un origen vegetal, aunque también se encuentran en los peces. Los ácidos omega3 y omega6 se llaman «esenciales» (porque el organismo no puede sobrevivir si no se ingieren con la alimentación). El ácido linoleico (omega6) y el ácido linolénico (omega3) tienden a reducir el nivel de colesterol en sangre, y previenen contra las enfermedades cardiovasculares.

Los triglicéridos

Los triglicéridos son los máximos representantes de los lípidos. Están compuestos por tres moléculas de ácido graso ligadas a una de glicerina. Se encuentran en muchos alimentos, y en el organismo son las grasas de depósito.

Cuando el organismo ingiere una cantidad excesiva de azúcares y no la usa, ésta se transforma en grasas y se acumula en forma de estratos (panículos adiposos).

El colesterol

El colesterol, exclusivamente de origen animal, es un componente estructural de todas las células; en el sistema nervioso y en el cerebro es precursor de las hormonas. Tiene una importancia fundamental, pero no debe introducirse en exceso, dado que el organismo también lo produce. Cuando la ingesta supera a la necesidad orgánica, se deposita en las arterias, provocando graves lesiones.

Una dieta equilibrada no debe superar los 300 mg de colesterol al día. Éste lo transportan en la sangre las lipoproteínas, que impiden su depósito en las paredes de las arterias: las VLDL transportan los triglicéridos; las LDL, los triglicéridos y el colesterol; las HDL, sólo el colesterol.

Los fosfolípidos

Los fosfolípidos son grasas de estructura compleja; contienen una cantidad reducida de fósforo, y abundan en el sistema nervioso central (los más importantes son las lecitinas).

Los esfingolípidos y los cerebrósidos

Los esfingolípidos y los cerebrósidos son estructuras complejas de grasas que constituyen las paredes de las células del sistema nervioso.

Las funciones principales de las grasas

Las funciones más importantes de las grasas son las siguientes:

- de estructura, porque, junto con el panículo adiposo, protegen los órganos y forman las membranas de todos los tejidos vivos;
- de energía, porque son una importante reserva energética y permiten conservar el calor en el cuerpo;
- de regulación, porque son los precursores de las hormonas y de algunas sustancias que actúan sobre el sistema inmunitario, el corazón y los riñones;
- de transporte, para las vitaminas liposolubles A, D, E, K.

Las fuentes alimentarias de las grasas

Las grasas se encuentran en casi todos los alimentos; mejoran su consistencia y su sabor, volviéndolos más apetitosos. Se dividen en grasas visibles y grasas invisibles:

- Las *grasas visibles* son el aceite, la mantequilla, el tocino, la manteca; además, en algunos tipos de carne y de embutidos está presente la grasa visible;
- las *grasas invisibles* son parte integral de los alimentos, de los que forman la estructura; por ejemplo, la grasa de la carne, del pescado, de los embutidos, del queso, de los huevos, de las aceitunas, de las semillas de girasol y de maíz, etc.

La necesidad de grasas va unida al hecho de que éstas producen 9 kcal por gramo, una dosis calórica superior a la que producen las proteínas y los azúcares.

En una dieta equilibrada, las grasas representan como máximo el 25 % de la alimentación cotidiana, y la presencia de los ácidos grasos esenciales debe ser constante.

El agua: beber de forma sana

Beber es importante, tanto para los niños como para los adultos, pero resulta difícil establecer cuál es la cantidad adecuada de agua al día.

Personalmente, creo que un niño y un adulto que se alimentan bien y de forma equilibrada deben beber sólo cuando tengan sed. Incluso aunque se practique una actividad deportiva que provoque una intensa sudoración, el agua y las sales minerales se pueden recuperar mediante una alimentación correcta; el equilibrio hídrico se obtiene también mediante un estilo de vida adecuado.

Consejos prácticos sobre el uso de las grasas

- Preferir la carne magra a la grasa (el jamón serrano, quitando la grasa visible), y los embutidos de pollo y de pavo. Buscar los embutidos de cerdo magro, que se ha alimentado con harina de pescado; contienen menos grasas saturadas.
- Comer mantequilla cruda, pero sin asociarla nunca con el queso.
- Optar por la leche y los yogures semidesnatados; cuidado con los yogures con sabor a fruta (y a los budines que no son caseros), que contienen muchas grasas ocultas.
- Comer lo menos posible de queso con 45 % de materia grasa. Es mejor comer queso de cabra y de oveja.
- Comer a menudo pescado rico en grasas saludables (por ejemplo, anguilas, sardinas, anchoas, trucha salmonada, salmonete, rodaballo, caballa).
- Sustituir el huevo frito por otro pasado por agua o en camisa.
- En lugar de freír el pescado o la carne empanada, hacerlos al horno.
- Cuidado con el sistema de cocción: puede hacer que aumente la cantidad de grasas ocultas.
- Evitar la margarina vegetal y todos las grasas vegetales solidificadas.
- Cuidado con los productos de pastelería, porque pueden contener muchas grasas ocultas. Evitar también los piscolabis dulces preelaborados, porque, además de engordar, contienen grasas nocivas para la salud arterial.
- Siempre que sea posible, utilizar aceite de oliva virgen extra exprimido en frío.
- Limitar al máximo los fritos, y no permitir nunca que el aceite de la sartén llegue al punto de humo (véase el capítulo «Los alimentos perjudiciales: errores alimentarios y malos hábitos»).

Consejos prácticos sobre el uso del agua

- Beber siempre agua pura; zumos de fruta caseros, diluidos en agua; tisanas e infusiones de hierbas no azucaradas; té frío, hecho en casa; agua mineral, aunque sea con gas, con un gajo de limón o de naranja (sirve para desintoxicar y quita más la sed).
- No beber nunca refrescos azucarados; zumos de fruta industriales (tienen un contenido de fruta del 12 %, y el resto es agua y azúcar); té frío industrial; refrescos con gas y edulcorados.

El agua es importante en el cuerpo humano ya desde el nacimiento. Constituye el 95 % del cuerpo del embrión; hacia el final del embarazo, esa cantidad desciende en el feto hasta el 80 %. En el recién nacido constituye el 70 % de la estructura corporal, y en el adulto se reduce hasta el 65 %. El lactante ingiere y elimina diariamente una cantidad de agua equivalente a la mitad de su volumen extracelular (sangre, linfa, líquidos intestinales) y, por tanto, si se enferma o no lo alimentan adecuadamente, corre el riesgo de padecer deshidratación.

Además, todos los procesos metabólicos en el organismo humano tienen lugar gracias al agua que obtienen también a través de los alimentos (leche, bebidas varias, fruta, verdura, legumbres, carne). La eliminamos por medio de las heces, el sudor y, sobre todo, la orina y la respiración (cuando hace mucho calor, por lo general se orina menos).

Los recién nacidos que maman del pecho materno no deben beber otros líquidos; sólo deben beber agua cuando hace mucho calor y cuando tomen leche que no sea materna.

Hasta los seis meses, la necesidad cotidiana de agua que tiene un niño es de 150 ml por cada kilo de peso; esta cantidad se reduce a medida que el niño crece, hasta llegar a 110 ml por kilo hacia los dos años de vida.

Un niño que sabe hablar ya puede regular solo la ingesta de agua, que pedirá a sus padres siempre que tenga necesidad.

También podrá beber un poco durante las comidas y, fuera de ellas, consumir agua e infusiones. Si come alimentos poco salados y sigue una alimentación equilibrada, ingiriendo bastante cantidad de fruta y verdura, reducirá la necesidad de introducir otros líquidos en su organismo.

LA «PIRÁMIDE ALIMENTARIA» Y EL PAPEL DE LA FAMILIA EN LA PREVENCIÓN DEL SOBREPESO Y DE LA OBESIDAD

En esta parte del libro, que también se fundamenta en los estudios realizados por numerosos expertos, se propone una intervención para el control del peso basada en la regulación de la alimentación y en un estilo de vida saludable en la escuela, en la familia y en el entorno donde vive el niño: se proporcionan modelos alimentarios (que deben respetarse tanto en familia como al estar con amigos); indicaciones sobre la alimentación de las madres embarazadas y lactantes; dietas adecuadas para los niños durante sus primeros años de vida. Todo esto ha de ir complementado con actividades deportivas y otras estrategias que hay que poner en práctica diariamente. Por tanto, se trata de un enfoque global al problema de la obesidad y del sobrepeso, para acabar así con una enfermedad insidiosa y agresiva.

La nueva «pirámide»: alimentación correcta y actividad física

Algunas veces pasa que los profesionales de diversos campos (pueden ser biólogos, ingenieros electrónicos, directivos o herboristas), cuando tienen problemas de peso y de salud, se interesan por la dietética, perfilando unos modelos alimentarios que experimentan en ellos mismos y luego lanzan al mercado con elaboradas campañas de marketing; estas «dietas» disfrutan inesperadamente de una breve notoriedad y «se ponen de moda».

«My Pyramid»: la nueva «pirámide» procedente de Estados Unidos

Personalmente creo que los modelos alimentarios válidos son en realidad fruto de estudios y reflexiones interdisciplinarias; por este motivo he decidido dedicar un capítulo al programa que se ha creado en Estados Unidos para enseñar a los ciudadanos a alimentarse correctamente, aprovechando al máximo los recursos alimentarios de ese país tan grande.

En Europa en general, los hábitos alimentarios son claramente mejores que los estadounidenses, aunque, teniendo en cuenta que el modelo norteamericano acaba imponiéndose siempre a los demás países, estaría bien, por una vez, seguir un ejemplo positivo y válido.

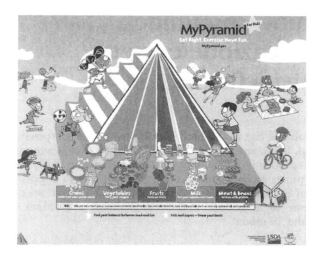

MyPyramid (versión para los niños).

En Estados Unidos, después de una primera campaña de información alimentaria (efectuada en 1992), que proporcionaba indicaciones concretas para disfrutar de una dieta sana y equilibrada, se ha propuesto, con escaso éxito, la dieta mediterránea; aparte de los intereses de las grandes industrias alimentarias, en un país con unos hábitos nutricionales bien enraizados, en el que el 65 % de la población entre los 20 y los 65 años tiene sobrepeso, y en torno al 25-30 % es obesa, parecía difícil que se aceptase un modelo europeo.

Lamentablemente, el problema de la alimentación sigue siendo grave y costoso, sobre todo en lo relativo a los gastos sanitarios. En 2005, el departamento de agricultura de los Estados Unidos decidió publicar de nuevo los consejos sobre alimentación (*Dietary Guidelines for Americans*), y rediseñar el esquema de «la pirámide» (que en Europa llevaba usándose bastante tiempo). Eric Bost, subsecretario del Ministerio de Agricultura, aunque admite que un modelo único no es válido en todas las circunstancias, subraya la importancia de una educación correcta que empiece a darse ya en la infancia. Bost ha declarado que, si no cambian las tendencias actuales, nuestros hijos podrían convertirse en la primera generación que no tendrá una expectativa de vida superior a la de sus padres.

Las categorías alimentarias propuestas por MyPyramid

1. Los cereales

Al menos la mitad de los cereales que se consuman cada día debe ser integral. Hay que ingerirla después del desayuno, y los cereales más indicados son los integrales. Pero atención: el hecho de que, por ejemplo, el pan sea oscuro no quiere decir que esté elaborado con pan integral. Hace falta leer la lista de los ingredientes para asegurarse de que aparece la palabra «integral».

2. La verdura

La verdura presente en la dieta debe ser lo más variada posible.

La guarnición del plato puede contener todo tipo de verduras sabrosas y coloridas: brécol y espinacas verde oscuro, zanahorias y pimientos naranjas, remolachas rojas, patatas dulces blancas.

3. La fruta

La fruta hay que introducirla en la dieta con cuidado; es buenísima, pero hay que tener en cuenta que es demasiado rica en azúcares. También se puede tomar en forma de zumo, pero éste debe contener un 100 % de fruta, sin aditivos.

4. La leche y sus derivados

Los alimentos ricos en calcio son indispensables para la dieta, dado que el calcio fortalece los huesos. La leche, el yogur o el queso deben estar libres de grasa, o bien contener poca.

5. La carne y las legumbres

No hace falta exagerar con las proteínas. La carne que se consuma debe contener pocas grasas (pollo, pavo, pescado). También se pueden emplear todos los métodos de cocción (estofar, cocer, hacer al grill) excepto la fritura. Las nueces, las semillas y las leguminosas contienen proteínas vegetales, y pueden sustituir a la carne.

6. El aceite

El aceite no pertenece a un grupo concreto de alimentos, pero para estar sano hay que consumirlo. Se encuentra en el pescado, los frutos secos y al aliñar los alimentos con diversos tipos de aceites vegetales.

Un esquema innovador

Los elementos principales que hacen que este esquema sea innovador son los siguientes:

- se tiene en cuenta también a los niños, a los que se representa mientras realizan una actividad física;
- es posible personalizar la dieta, invirtiendo un poco de tiempo en el estudio de las fichas (que están disponibles en Internet. Quien lo desee, puede consultar la página www.mypyramid.com).

Por primera vez se introduce en el esquema una variable vinculada con la actividad motora, que complementa los cambios graduales del régimen alimentario. Además de proponer un estilo de vida más activo, esta pirámide intenta diferenciar las necesidades energéticas, no sólo respecto a la calidad sino también en relación con la cantidad.

Un enfoque personalizado de la alimentación

MyPyramid sugiere un enfoque personalizado de la alimentación, estrechamente relacionado con la actividad física (cada persona puede encontrar su régimen óptimo consultando el material disponible en Internet).

A continuación señalamos algunos conceptos clave que se desprenden de la figura (ver la ilustración en la pág. 88).

- *El estilo de vida*: los niños que juegan subrayan la importancia que tiene para ellos la actividad física y el juego (o el deporte), importancia que sin duda también tiene para los adultos; por tanto, recomienda las excursiones al aire libre y el deporte, en lugar de pasar el tiempo libre delante del televisor o del ordenador.

- *La moderación*: está representada por la dimensión, cada vez más estrecha, de las secciones de la pirámide; las que tienen una base más ancha indican los alimentos que hay que consumir en mayor cantidad, es decir, alimentos con poca grasa sólida y pocos azúcares añadidos; estos alimentos son preferibles a los que son ricos en esas sustancias, representados por secciones más estrechas. Por tanto, la dimensión de los pisos de la pirámide representa la cantidad de alimentos que se puede tomar: cuando más activa sea una persona, menos rígida será la dieta.
- *La personalización*: está representada por los niños que juegan, y significa que cada uno puede establecer la cantidad de alimentos que debe ingerir diariamente en proporción a la actividad física que pretende realizar.
- *La proporción*: el grosor de cada sección de la pirámide indica la cantidad de alimentos que pertenece a cada grupo alimentario que hay que consumir diariamente (se trata de cantidades indicativas, que están mejor especificadas en la página de Internet, según la edad y otras características personales).
- *La variedad*: los seis colores de los distintos pisos representan los cinco grupos alimentarios principales, a los que se añade el sexto, representado por los diversos tipos de aceite con los que se complementa la dieta. Además, la imagen muestra lo necesario que es que cada día ingiramos una parte de todos esos tipos de alimentos.
- *La mejora gradual*: el programa MyPyramid tiene el siguiente lema: «Un peldaño tras otro hacia la salud». Esto sugiere que todo el mundo tiene la posibilidad de mejorar su dieta y su estilo de vida, día tras día.

Algunos ejemplos significativos

A continuación proponemos algunos datos presentes en el programa MyPyramid, que demuestran cómo la participación de toda la familia, la actividad física y la alimentación adecuada son pasos importantes para salvaguardar la salud del niño y del adolescente, protegiéndoles de los riesgos de padecer sobrepeso y obesidad.

Por ejemplo, la tabla de esta página indica las calorías necesarias para los niños, según su sexo y su actividad física.

- Por *sedentario* se entiende que desarrolla poca actividad física, y que por lo demás tiene un estilo de vida normal.
- Por *activo* se entiende que camina a paso rápido al menos 5 km diarios, y que tiene un estilo de vida normal.

Se subraya que si un niño sedentario de ocho años almuerza un bocadillo, se toma una bebida con gas y edulcorada y un postre, absorbe 400-600 calorías; teniendo en cuenta que las calorías que necesita al día son 1.200, entre el desayuno, la cena y la merienda debe introducir otras 600-800. Si sólo consume tres pastas, cada una de los cuales tiene 200 calorías, alcanza las 1.200 diarias; en este momento, todo lo que coma de más se convertirá en grasa acumulada en los te-

Las calorías necesarias para vivir sano

Niños y niñas	Sedentarios	Activos
2-3 años	1.000	1.400
Mujeres	**Sedentarias**	**Activas**
4-8 años	1.200	1.800
9-13 años	1.600	2.200
13-18 años	1.800	2.400
Hombres	**Sedentarios**	**Activos**
4-8 años	1.400	2.000
9-13 años	1.800	2.600
13-18 años	2.200	3.200

Consejos prácticos para las familias

Para una buena alimentación

- Al menos la mitad de los cereales ingeridos (pan integral, arroz) deben ser integrales. Hay que evitar en lo posible los azúcares simples.

- Las verduras deben ser de buena calidad y de colores distintos (zanahorias, lechuga, tomate, brécol, etc.).

- No debe faltar nunca la fruta, ya sea durante las comidas o como tentempié.

- El organismo necesita alimentos ricos en calcio (productos lácteos con bajo contenido en grasa).

- Limitemos el aporte proteínico: es mejor elegir carne magra (pollo, pavo y pescado). La alimentación también nos aporta proteínas vegetales (guisantes y judías, frescas o secas). A la ensalada se pueden añadir nueces, avellanas y piñones.

- El aceite es necesario para la alimentación, y es mejor variar los tipos (aceite de nueces, de maíz, de soja, de colza, de oliva virgen extra).

Para hacer más ejercicio físico

- Los padres deben dar buen ejemplo, procurando ser activos junto con toda la familia. Para divertirse, pueden jugar con sus hijos e incluir a los animales domésticos, y hacer gimnasia cada día.

- Cada uno puede decidir cuál es su actividad física favorita, y el estilo de vida activo más adaptado a las propias exigencias.

- Una vez decidida la actividad física preferida (caminar, correr, ir en bicicleta, nadar, esquiar), los adultos deben practicarla media hora al día. Los niños deben practicarla al menos una hora al día.

- Cumpleaños, reuniones familiares o entre amigos: las fiestas en las que participen adultos y niños deben comprender competiciones deportivas o juegos muy activos.

- En lugar de ver la televisión, se puede hacer algo más activo: pasear o caminar cuando hablamos con el móvil. El tiempo que pasamos sentados (o tumbados) delante de una pantalla debe estar limitado.

- Para hacer gimnasia incluso en casa, es posible moverse más: subir por las escaleras en lugar del ascensor, usar las botellas de agua como si fueran pesas. La regla general debe ser siempre ésta: ¡diviértete!

jidos. Es necesario tener en cuenta que tres pastas de bollería son el equivalente calórico de una comida, pero que no tienen su mismo valor nutricional.

En estas páginas proponemos también la tabla «Consejos prácticos para la familia», que sugiere a los padres cómo alimentarse mejor y hacer una actividad física donde puedan participar adultos y niños.

Resumiendo...

Es necesario encontrar el equilibrio entre la alimentación, las actividades deportivas y la diversión:

- moveos mucho, al menos una hora al día, y cuantos más días a la semana, mejor;
- caminad, bailad, pasead en bicicleta, patinad... Haced lo que os guste, pero moveos lo más posible.

Para limitar las grasas y los azúcares:

- consumid pocas veces alimentos con grasas sólidas;
- elegid alimentos y bebidas sin azúcar añadido (u otros edulcorantes que aumenten su contenido calórico);
- leed atentamente las etiquetas de los alimentos, para enteraros de cuál es su contenido en grasa y en azúcar.

La alimentación durante el embarazo y la lactancia

Cuando la futura mamá tiene sobrepeso

El sobrepeso y la obesidad en el embarazo aumentan el riesgo de que la futura madre padezca diabetes e hipertensión.

Es necesario que el médico mantenga a raya el incremento de peso durante el embarazo, porque es peligroso para el feto (y, más tarde, para el recién nacido):

- aumenta el porcentaje de mortalidad del feto;
- puede provocar malformaciones;
- puede provocar un parto prematuro;
- puede hacer que sea necesaria una cesárea, debido al peso excesivo del bebé;
- un parto difícil, debido a las dimensiones del bebé, puede provocar lesiones a su madre.

Resulta significativo que numerosos estudios hayan descubierto, con una frecuencia cada vez mayor, una relación entre la obesidad materna durante el embarazo y el peso de los hijos cuando son adultos.

Por ejemplo, en 1998 R. C. Whitaker lanzó la hipótesis de que, si la futura madre es obesa y por tanto come demasiado, la transferencia de todos estos nutrientes por medio de la placenta induce en el

Consejos prácticos para no «intoxicar» al niño

- Modificar el estilo de vida.
- Evitar los fármacos.
- Preferir los alimentos biológicos (o biodinámicos) e integrales.
- Evitar los alimentos elaborados o manipulados con métodos industriales.
- Normalizar el IMC (véase el capítulo «¿Mi hijo está gordo o es obeso?») antes del embarazo.
- Practicar diariamente una actividad física moderada.

feto unos cambios permanentes en la percepción del apetito, y altera el funcionamiento de algunas hormonas que regulan el metabolismo energético.

Otros estudios realizados en animales confirman que existe una relación directa entre la obesidad materna y el peso de los hijos adultos.

Por tanto, la obesidad se puede considerar una enfermedad epidémica cuya incidencia aumenta con el paso de una a otra generación, independientemente de los factores genéticos y ambientales. En la práctica, de una madre obesa nacerá un niño obeso que, a su vez, será padre de hijos obesos, en una dramática espiral de problemas de salud relacionados con el sobrepeso y con los trastornos alimentarios.

Los expertos confirman la importancia que tiene, para la salud del recién nacido y de su madre, el hecho de que el aumento de peso durante el embarazo entre en los límites normales y correctos, y que vaya seguido de una alimentación equilibrada y adecuada.

Si la futura mamá, al principio del embarazo, recupera su peso normal, la cantidad de calorías diaria deberá aumentar después de la siguiente manera:

- 150-200 calorías de más durante el primer trimestre;
- 400-500 calorías de más durante los dos trimestres restantes;

- consumir al menos 35 g diarios más de proteínas (de origen animal y vegetal);
- debido a que se duplica la necesidad de ácido fólico (vitamina B$_9$), útil para prevenir los defectos del tubo neural (malformaciones óseas del sistema nervioso central), se deben consumir alimentos que lo contengan en abundancia, como verduras de hojas verdes (lechuga, espinacas, brécol), hígado, algunos tipos de fruta, levadura, leche y cereales;
- debe aumentarse la ingesta de sales minerales como el calcio, el hierro, el magnesio y el potasio.

Como norma general, durante el embarazo el aumento de peso de una mujer con un peso normal debe situarse, como máximo, en torno a los 12-13 kg.

Una dieta de 2.100-2.500 kcal diarias responde adecuadamente al aumento energético que requiere el embarazo. El consumo calórico diario podrá superar las 3.000 kcal solamente si la madre en cuestión aumenta en proporción la actividad física, porque de no ser así se consideraría un aumento de peso injustificado, con el riesgo (como hemos visto) de producir alteraciones metabólicas en la madre y en el hijo, y de causar problemas durante el parto.

Sería mejor comer menos y con mayor frecuencia, masticando lentamente. Los alimentos más calóricos deben tomarse durante el desayuno y el almuerzo; además, está bien evitar los largos períodos de ayuno (diurno o nocturno). Se deben evitar por completo el alcohol (que puede provocar lesiones cerebrales al feto), el café, el té y el chocolate (que son tóxicos para su hígado).

La alimentación de la madre embarazada

Una madre en estado necesita una dieta más calórica que las otras mujeres, pero sin exagerar: su régimen alimenticio debe estar equilibrado y adaptarse a su estado. Para respaldar el desarrollo del feto

Alimentos que hay que evitar durante el embarazo

Tipo de alimento	Efectos no deseados
Azúcar simple y refinado	Reduce la síntesis intestinal de la vitamina B; perjudica a los dientes y puede predisponer a la diabetes sacarosa; además, fomenta la obesidad.
Edulcorantes químicos y sacarina	No se conoce bien su grado de toxicidad; se sospecha que son cancerígenos.
Exceso de café (más de tres tazas diarias) y de sustancias con cafeína (bebidas de cola, té, chocolate)	Aumentan el riesgo de parto prematuro.
Bebidas alcohólicas (whisky, grappa) consumidas en dosis medias (120 ml) cada día	Pueden originar trastornos del crecimiento y del desarrollo mental de uno de cada 10 recién nacidos; además, fomentan el aumento de peso de la futura madre.
Todos los alimentos conservados, demasiado hechos o demasiado refinados	Lo que no es vital es inútil: se trata de «calorías vacías», es decir, carentes de vitaminas, sales minerales y fibra, que fomentan el sobrepeso.
Carne de caza, embutidos, fritos	Los residuos derivados de su digestión intoxican el hígado y sobrecargan los riñones de la futura madre, que ya de por sí están sometidos a un exceso de trabajo.
Crustáceos, calamares, mejillones	Alérgenos, pueden convertirse en fuente de enfermedades infecciosas o contagiosas (gastroenteritis o hepatitis A).

Alimentos que hay que evitar durante el embarazo
(continuación)

Tipo de alimento	Efectos no deseados
Solanáceas (patatas, pimientos, berenjenas, tomates)	Se deben consumir con moderación, porque el exceso de solanina puede resultar tóxico para el desarrollo cerebral del feto.
Pescado graso, queso graso (contienen ácidos grasos saturados)	A pesar de ser útiles para el desarrollo del feto, deben consumirse con moderación.
Pescados de corte grueso (atún, pez espada)	Deben tomarse con moderación: existe el riesgo de que contengan sustancias químicas tóxicas (mercurio y derivados del petróleo).
Margarina de origen vegetal, con una mayor o menor hidrogenación de los grasos (cuanto más blanda, menos hidrogenada)	Es mejor evitarla, porque facilita el riesgo de lesiones cardiovasculares y de arteriosclerosis precoz en el feto y en el niño.
Manteca de cerdo fundida	Es mejor evitarla por su excesivo contenido en ácidos grasos saturados.

son necesarios alimentos energéticos y nutritivos, ricos en proteínas, minerales, vitaminas, grasas «buenas», azúcares complejos; no sirven los alimentos ricos en calorías y carentes de nutrientes.

Por lo general, la cantidad y calidad equivocadas de los alimentos van acompañadas de la ausencia de movimiento, lo que fomenta la obesidad. La gestante tiene necesidad de reposo, calma y tranquilidad, pero debe practicar una actividad física constante y continuada, compatible con el embarazo; el deporte ideal es la natación, pero también son adecuados la marcha, el *footing* y los paseos en bicicleta (en llano).

El aumento de peso debe ser constante y continuado, distribuido por todos los órganos y aparatos, y bien repartido durante el periodo de nueve meses. Las mujeres con una reserva adecuada de grasa (que no sea excesiva) ofrecerán a su hijo más leche en comparación con aquellas que sean demasiado delgadas. Además, si el aumento de peso ha sido proporcionado, se reducirán los riesgos legales durante el parto, y el desarrollo general del niño será mejor.

Todas estas indicaciones son válidas también para el padre del futuro bebé. No es lógico que una madre en estado se alimente con cuidado mientras su pareja sigue un régimen alimenticio extravagante. Toda la familia debe estar de acuerdo en hacer un esfuerzo común: sólo así se podrá obtener un resultado eficaz para la salud futura del niño o niña, con grandes beneficios para todos.

Los alimentos que hay que evitar

En la tabla de las páginas 98 y 99 aparecen algunos alimentos que, a pesar de que no son peligrosos, pueden tener efectos negativos sobre la salud del feto y sobre el peso del feto y del niño, ya sea en el momento de nacer o cuando sea más mayor.

Los suplementos calóricos

Una alimentación buena y equilibrada durante el embarazo, asociada con un estilo de vida sano y activo (sin caer en la obsesión) ayudará a la futura mamá a no engordar más de lo debido, y reducirá el riesgo de tener un niño con sobrepeso.

Los suplementos calóricos recomendados son los siguientes:

- 150 kcal al día durante el primer trimestre;
- 350 kcal durante los dos trimestres restantes.

Consejos prácticos sobre la integración alimentaria

A continuación ofrecemos algunas sugerencias de integración en los alimentos cotidianos (son consejos válidos para una mujer con buena salud y con una dieta base en torno a 2.300-2.500 kcal diarias).

Suplementos diarios de comida durante el primer trimestre (150 kcal diarias)

- 250 g de leche.
- un huevo en camisa y 25 g de pan.
- 30 g de queso magro y 25 g de pan integral.
- 100 g de yogur con fruta.
- 25 g de pan y 50 g de carne magra cocida.
- 25 g de pan y 80 g de pescado magro cocido.

Suplementos diarios durante el segundo y tercer trimestre (350 kcal diarias)

- 300 g de leche y 50 g de pan.
- 50 g de pan y 80 g de queso blando (o 100 g de mozzarella, o 70 g de parmesano).
- 2 huevos pequeños y 70 g de pan integral.
- 50 g de pan integral y 120 g de carne a la plancha.
- 50 g de pan integral y 180 g de pescado magro cocido.

Estos suplementos deben ser siempre variados, para favorecer el equilibrio correcto del peso y para no hacer engordar mucho a la madre ni al bebé.

Estos aportes calóricos corresponden a un aumento de peso global, al final del embarazo, de unos 10-12 kg.

La alimentación de la madre lactante

La alimentación juega un papel importante también durante la lactancia, porque influye en la cantidad y en la calidad de la leche materna. Aparte de esto, numerosos estudios científicos han descubierto que los niños alimentados con leche no materna están a menudo más gordos que los que toman del pecho, y estar diferencia de peso se manifiesta tanto en la primera infancia como en la adolescencia. También en este caso es fundamental la disponibilidad de toda la familia para adaptarse a las exigencias de la madre lactante. En concreto, el padre del niño o niña debe estar cerca de su pareja y respaldarla durante este periodo tan delicado.

En los países industrializados de Occidente, una mujer embarazada, como hemos dicho, suele aumentar como máximo en torno a 12,5 kg a lo largo de los nueve meses. En este caso, sus depósitos de grasa rondan el 30 % (3-4 kg), y serán utilizados como fuente de energía para producir la leche.

Con una obtención de cerca de 250 calorías al día, la madre puede amamantar a su bebé adecuadamente, sin riesgo de engordar. Por tanto, un régimen alimentario cotidiano en torno a las 2.200-2.600 calorías responderá perfectamente a sus exigencias y a las de su hijo.

Naturalmente, la cantidad de calorías puede variar según el tipo de vida que lleve la madre, es decir, si tiene un gasto energético mayor o menor.

Si la madre lactante desarrolla una buena actividad física, puede permitirse algún «capricho» sin arriesgarse a acumular grasa.

Para no engordar

- **Hacer actividad física.** En la rutina cotidiana de la madre debe haber un tiempo reservado a la actividad deportiva (que sea compatible con las exigencias del recién nacido, la familia, el trabajo, la casa... porque quien mucho abarca, poco aprieta).

  Soy consciente de que esto no resulta fácil; a pesar de ello, el mero hecho de dar largos paseos con un ritmo sostenido favorece tanto a la madre como al recién nacido. Más adelante, cuando el ritmo de la vida se vea más libre de obligaciones y sea menos fatigoso, la madre podrá volver al gimnasio, a jugar a tenis o a esquiar, naturalmente si alguien la ayuda a cuidar del pequeño.

- **Estructurar bien las comidas.** La nueva mamá debe estructurar bien sus comidas durante la jornada, partiendo de un desayuno abundante; el almuerzo y la cena deben ser adecuados (pero menos abundantes), y es conveniente intercalar entre ellos dos refrigerios.
- **Variar la calidad de los alimentos.** No hace falta repetir muy a menudo el mismo menú, sino variar la calidad de los alimentos al menos cada tres días.
- **Beber mucha agua.** Los líquidos están presentes en muchos alimentos: la leche, los zumos de fruta, la sopa. La cantidad de agua que debe ingerirse depende de la actividad física y del tipo de alimentación. Aconsejo beber cuando se tenga sed, sobre todo mientras se amamante a un bebé.

Los alimentos principales que hay que introducir en la dieta

Recordemos que la dieta que siga la madre influye en la composición y en la cantidad de la leche que produce: si come mucha fruta y verdura, la leche tendrá un contenido mayor de ácidos grasos saturados (que juegan un papel fundamental en el crecimiento del cerebro del bebé). En cambio, el colesterol presente en la dieta no modifica el de la leche materna.

- **Los cereales.** Es importante que los copos de cereal sean completos en toda su estructura, y que no sean refinados. Sólo así podrán proporcionar almidón (como fuente energética), proteínas y grasas poliinsaturadas (como componentes estructurales y energéticos), vitaminas y sales minerales. Los alimentos ricos en fibra requieren un tiempo más largo de masticación, favoreciendo una secreción mayor de saliva y de amilasas salivares, y provocan una distensión de las paredes gástricas, proporcionando una mayor sensación de saciedad. Además, es cierto que las fibras favorecen el rápido tránsito intestinal, y que inducen una pérdida de sustancias calóricas eliminadas en las heces. Una dieta rica en fibras derivadas de los cereales aumenta la producción general de leche materna; de todos modos, no se debe consumir pan integral y cereales en cantidades excesivas.

- **Los huevos.** Los huevos, ricos en calcio, hierro, potasio y cobre, se consumen enteros (yema y albúmina). Las preparaciones más digeribles son pasado por agua y en camisa. Si la madre lactante sigue una dieta vegetariana, puede comer hasta 4 o 5 huevos por semana, contando también los presentes en otras recetas.

- **La leche y los productos lácteo-caseosos.** Un litro de leche contiene una cantidad considerable de proteínas nobles, unos 35 g. Si consume carne o pescado, la nueva madre deberá reducir la cantidad de leche, para evitar aumentar demasiado la cantidad de proteínas. Una taza de leche (unos 250 ml) puede sustituirse por 45 g de queso (por ejemplo, gruyere o *bel paese*) o por 240 g de yogur.

- **La carne.** La necesidad de proteínas nobles aumenta durante la gestación, y aún más durante la lactancia: 120 g diarios son la cantidad adecuada. Cuando sea posible, es mejor optar por una carne que no provenga de criaderos industriales, y recurrir a las carnes «alternativas» (conejo, pichón, caballo).

- **El pescado.** El pescado ofrece proteínas nobles tanto a la madre como al bebé. Se puede comer pescado de todo tipo, pero cuidado con los pescados muy grandes (pez espada y atún), que podrían contener demasiado mercurio (presente en el agua marina), y a los pescados de piscifactorías (lubina, dorada, salmón, trucha), a los que es posible que los hayan alimentado a base de harina de origen animal, que contiene sustancias tóxicas. En cualquier caso, el pescado es importante porque es rico

Consejos prácticos sobre la alimentación de la madre lactante

- Consumir preferentemente alimentos frescos.
- Intentar conocer la procedencia de los alimentos que se consumen.
- Organizarse para programar una alimentación rica y variada.
- Consumir cereales integrales, productos sólo de fábricas certificadas.
- También la carne, la leche y los productos lácteo-caseosos deben proceder de industrias biológicas certificadas.
- Evitar los alimentos que engordar sin nutrir: las calorías vacías (bebidas con gas, bollería industrial, caramelos, comida rápida, helados elaborados).
- Evitar el alcohol, las sustancias excitantes y los alimentos que alteren el sabor de la leche materna.
- Evitar carnes y pescados procedentes de criaderos industriales, dado que en ellos se dan piensos de origen animal.
- Practicar regularmente una actividad física.
- Si se padece sobrepeso, hay que buscar al menos 45 minutos diarios para dedicarse a un deporte aeróbico (caminar rápido, marcha, carrera, bicicleta, natación, esquí de fondo, danza).
- Hay que recordar que los hijos de padres obesos raramente serán delgados; por tanto, hay que conseguir que la pareja participe en la elección de la cantidad y calidad de los alimentos que se adquieren y consumen.
- Amar y respetar el propio cuerpo porque, casi siempre, el aspecto saludable es indicativo de un equilibrio mental.

en ácido DHA, que puede reducir el riesgo de padecer la depresión posparto.

- **La verdura y las legumbres.** La importancia de las verduras es fundamental; en concreto, se debe combinar siempre la carne con una gran cantidad de verduras crudas, para favorecer la digestión. Las legumbres y los cereales pueden sustituir a la carne, dado que proporcionan proteínas de gran valor biológico.

- **La fruta.** La fruta aporta a la mesa una nota de alegría y de color, y constituye una fuente rica en vitaminas, antioxidantes naturales, minerales, fibras alimentarias y energía (es rica en azúcares). En la fruta está presente la vitamina C, que es un elemento indispensable para mejorar la absorción del hierro. Hay que recordar que siempre es mejor consumir la fruta del tiempo.

Los alimentos que hay que evitar

- **Las calorías vacías.** Hay tentaciones que pueden resultar difíciles de eludir: pasar delante del escaparate de una pastelería, sentir la fragancia de los dulces acabados de hornear, observar su aspecto invitador y colorido o mirar los anuncios televisivos de helados, refrescos y bollería. Pero una alimentación saludable, sobre todo cuando está en juego la salud de un recién nacido, requiere algún sacrificio. Es necesario hallar el valor (y el sentido de responsabilidad) para limitar o eliminar por completo los alimentos que sólo son ricos en calorías vacías, que hacen engordar y que son el origen de enfermedades metabólicas y cardiovasculares. No debemos obsesionarnos con rechazar todo lo dulce, pero ésta debe ser una buena actitud donde la excepción no se transforme en la regla.

La alimentación del niño
durante el destete

La importancia de la lactancia con leche materna, al menos hasta los seis meses, la subrayan constantemente la Organización Mundial de la Salud, las asociaciones de pediatras y los medios de comunicación, porque garantiza al lactante:

- un mejor desarrollo neuronal-conductual;
- un sistema inmunológico más activo y eficaz contra las infecciones de las vías aéreas;
- una menor incidencia de alergias alimentarias y respiratorias;
- una reducción de la incidencia de la obesidad en la infancia, la juventud y la madurez.

En cambio, entre los padres existen dos comportamientos que favorecen el sobrepeso y la obesidad entre los niños:

- la introducción demasiado precoz de la leche de vaca en la dieta;
- la introducción demasiado precoz de dulces en la dieta, y su consumo no regulado.

Novedades y tendencias sobre la lactancia

Aunque hasta ahora los niños eran destetados con leche de vaca, hoy día este método está superado. Los motivos dependen de la alimentación durante el primer año de vida o de las alteraciones del estilo de vida y de la alimentación durante las etapas sucesivas. El hecho de introducir demasiado pronto en el organismo del niño un alimento que no está bien equilibrado, como la leche de vaca, favorece el aumento de azúcar en sangre y la producción de insulina, predisponiendo así al aumento de peso durante la primera infancia y hacia los 4-6 años de edad, cuando se verifica el regreso de la grasa que se acumula (el efecto rebote de la adiposidad: véase el capítulo «¿Mi hijo está gordo o es obeso?»). De esta manera se favorece una tendencia que podría durar toda la vida.

La leche de vaca: desaconsejable hasta los 12 meses

La leche de vaca fresca es más apropiada para el crecimiento de un ternero; por lo general, se le da a los niños después del sexto mes de vida, pero en realidad hay muchos motivos por los que no es recomendable hasta que cumplan el primer año.

- El elevado contenido proteínico dificulta la digestión y provoca la putrefacción intestinal; además, favorece el aumento de la estatura o la aceleración del efecto rebote de la adiposidad, predisponiendo al niño al sobrepeso y a la obesidad.
- La presencia excesiva de ácidos grasos saturados aumenta la pérdida de calcio en las heces.
- La leche de vaca tiene un bajo contenido en lactosa, y carece de ácidos grasos esenciales (ácido linoleico y alfa-linoleico).
- Contiene un alto grado de minerales que dan sed, forzando a los riñones a trabajar en exceso.
- Contiene poco hierro y pocas vitaminas.

- La ausencia de leucocitos y de IgA facilita la gastroenteritis.
- Tiene una capacidad alergénica elevada.
- Si se introduce demasiado pronto en la dieta, favorece el aumento de peso del lactante y, más tarde, del niño.

La leche artificial: características positivas fundamentales

Al menos hasta cumplir los seis meses de edad el bebé se alimenta exclusivamente de leche materna, y con leche adaptada para niños hasta que cumple su primer año de vida. Este producto específico es una de las primeras defensas contra la obesidad y el sobrepeso precoces del niño. La leche artificial puede sustituir a la materna y proporcionar una alimentación equilibrada sólo cuando tiene las siguientes características positivas:

- Garantiza un bajo contenido de proteínas (en una cantidad muy parecida a la que contiene la leche materna), un aporte adecuado de nucleótidos que salvaguardan y mejoran la mucosa del aparato digestivo, contribuyen a la absorción intestinal del hierro e intervienen, ya en los primeros meses de vida, en la síntesis de los ácidos grasos poliinsaturados de cadena larga. Hacen que el aumento de peso del lactante sea más equilibrado y no favorecen el sobrepeso en los niños.
- Contiene ácidos grasos (fuentes de energía para el lactante, y constituyentes del fundamento para el desarrollo cerebral). Los ácidos grasos poliinsaturados de cadena larga favorecen un desarrollo rápido de la memoria, un mejor control de los valores de la presión arterial a la edad de cinco años y un desarrollo neuronal-conductual más correcto.
- Contiene lactosa, oligosacáridos (OS), galactooligosacáridos (GOS) al 90 % y fructooligosacáridos (FOS) al 10 %. Se trata de azúcares que, al no digerirse, participan en la constitución de una flora bacteriana donde predominan las bacterias «bue-

nas» (bífidobacterias y lactobacilos), que colonizan el intestino en lugar de las «malas» y que, por medio de la interacción con el sistema inmunitario, actúan favorablemente sobre los sistemas que controlan la respuesta alérgica. Por tanto, evitan el sobrepeso a causa de la retención de líquidos producidos por la intolerancia alimentaria.

Qué significa «destete»

Por lo general, hacia los cuatro meses de vida del bebé los padres empiezan a ponerse nerviosos al pensar en darle de comer algo que no sea leche materna; suelen acudir al pediatra en busca de consejo. Al hablar de «destete» nos referimos a una modificación de la alimentación del bebé, consistente en el paso de una dieta exclusivamente láctea a otra con alimentos sólidos o semisólidos, cada vez más parecidos a los que consumen los adultos. Esto no implica suspender la lactancia —materna o con leche artificial—, sino tan sólo modificar los hábitos alimentarios del bebé para mejorar el proceso de crecimiento y favorecer su integración en el ámbito familiar.

La regla fundamental debe ser el respeto por las necesidades del bebé y por sus horarios. Un destete forzado puede producir trastornos de tipo psicológico, alterar la relación con los alimentos (favoreciendo la anorexia o la bulimia), provocar un aumento de peso excesivo, crear estados de ansiedad vinculados al momento de las comidas que pueden prolongarse durante muchos años, y favorecer la aparición de la obesidad cuando el niño sea adulto.

Si en lugar de eso los padres intentan comprender las necesidades de su bebé y beneficiarlo, la separación gradual del seno materno, primero, y del biberón, después, y tras eso de las papillas, los purés, etc., irá implantándose de forma natural con el paso del tiempo. Lentamente, el niño crecerá, madurará y cada vez estará más preparado para afrontar su vida fuera del ámbito protector de la familia.

Las malas costumbres que hay que evitar

Dentro de la familia habría que evitar algunos hábitos alimentarios que no son positivos para la salud del niño (aunque éstos, a veces, resulten muy cómodos para los padres porque consiguen que el niño duerma toda la noche). Los errores más frecuentes son los siguientes:

- Añadir harina (aunque sin gluten) a la leche del biberón antes de que el bebé haya cumplido los cinco meses.
- Darle galletas o pan entre comidas, para que se esté tranquilo.
- Darle bebidas dulces para calmarlo cuando se despierta por la noche.
- Cuando llora, darle el chupete mojado en miel.

Las harinas de cebada, avena, trigo, centeno (con gluten) y las de arroz y maíz (sin gluten) tienen buen sabor, y si además se les añade azúcar y se mezclan con leche, con fruta, chocolate, vainilla y están precocinadas y listas para consumir, sacian al bebé haciéndolo dormir ocho horas seguidas. Sin embargo, desde el punto de vista nutricional representan un suplemento alimenticio absurdo, porque introducen azúcares inútiles y un exceso de calorías que se acumulan como grasa de reserva, haciendo aumentar el peso del bebé y predisponiéndolo a la obesidad.

También las galletas y el pan, alimentos con un elevado índice glucémico (aumentan el grado de azúcar y de insulina en sangre), no sólo hacen engordar, sino que favorecen en el niño la mala costumbre de comer algo entre comidas.

Esta tendencia se puede convertir, unos años después, en el conocido «picoteo» (véase el capítulo «¿Por qué mi hijo está demasiado gordo?»), típico de los niños que comen en cualquier momento menos cuando deben hacerlo, introduciendo en su dieta alimentos de alto valor energético, desequilibrados y carentes de nutrientes, que lo único que consiguen es hacerles engordar.

Consejos prácticos para un destete equilibrado

- Dar de mamar al niño leche materna, si es posible hasta los seis meses.
- Elegir el momento de darle de comer, de modo que durante ese tiempo se pueda estar sólo pendiente del bebé.
- Recordad: lo que no se coma hoy se lo comerá otro día.
- La carne, el pescado y la verdura son importantes, pero si al principio el niño rechaza alguna de estas cosas, recordad que no es peligroso para su salud.
- La dieta debe ser variada, pero si el niño prefiere una monótona no hay que preocuparse demasiado: las «monomanías» (comer sólo miel, guisantes, carne) son frecuentes entre los niños pequeños, y lo normal es que desaparezcan espontáneamente. El «nuevo mundo» de los sabores se descubre poco a poco; por tanto, el niño debe mantener con la comida una relación adecuada, y no ser como un mecanismo automático.
- Es fundamental evitar suministrar un exceso de calorías, para no tener niños obesos. Si un niño de constitución esbelta, pero que goza de buena salud, no quiere comer más, no insistáis; es perfectamente capaz de autorregularse.
- El destete, introducido hacia los seis meses de edad, ayuda a prevenir también enfermedades metabólicas y degenerativas como la diabetes, la obesidad, las alergias, la hipertensión y otras enfermedades cardiovasculares.

Las bebidas dulces, a las que suele recurrirse para calmar al niño cuando se pone a llorar de madrugada, tienen un aspecto negativo doble: aumentan el azúcar en sangre (con la consiguiente producción de insulina y la acumulación de grasas) y hacen que el niño asocie el consuelo con el sabor dulce. De esta forma se fundamenta la mala costumbre de compensar los disgustos y las inevitables frustraciones de la vida comiendo cosas dulces, lo cual a la larga será una causa de la obesidad.

El chupete puede conseguir que el niño se relaje cuando está nervioso, pero si está mojado en miel, además de favorecer la presencia de caries en los incisivos, aumenta el grado de azúcar en sangre, fomentando esa serie de mecanismos que provocan el aumento de peso. Además, si se convierte en el único medio para consolarle, hará que el niño crezca con la impresión de que para combatir la tristeza y cualquier desilusión basta con tener la boca llena; al cabo de pocos años, esta mala costumbre lo llevará a sustituir el chupete por los alimentos dulces (como la miel) e hipercalóricos, para compensar sus propias emociones.

De cualquier modo, dejad que sea el niño quien exprese libremente su preferencia por el gusto dulce o por el salado, aunque debáis ser conscientes de que el uso de alimentos dulces durante el proceso de destete puede convertirse en una costumbre que costará erradicar cuando el niño sea más mayor, y por tanto no es conveniente respaldarla mucho. En realidad, el exceso de alimentos dulces hace aumentar el azúcar en sangre y la producción de grasa, favoreciendo el sobrepeso y la obesidad.

Recordad que un destete precoz (antes del cuarto mes) puede provocar efectos negativos:

- reduce el efecto protector que tiene la lactancia sobre la madre;
- causa un exceso de azúcares y de proteínas en la dieta del bebé, que no las necesita, favoreciendo el sobrepeso y la obesidad;
- puede provocar diarrea;
- aumenta el riesgo de sensibilización alérgica;
- provoca una carga renal excesiva de sales minerales.

La alimentación del niño desde su primer año hasta la pubertad

Después de que el niño cumple su primer año de vida, empieza ese periodo tan esperado por padres e hijos, que es cuando se puede elegir más libremente los alimentos.

«Ahora nuestro hijo puede comer lo mismo que nosotros», deciden los padres.

«Por supuesto», añado yo, «siempre que vosotros comáis bien».

Un comportamiento alimentario correcto en la familia es la única garantía de una buena alimentación de los hijos, y la única protección válida frente a las enfermedades vinculadas con la comida. La alimentación rica en fruta y verdura, asociada con la actividad física, ayuda a prevenir las enfermedades degenerativas y cardiovasculares, y mejora la calidad de vida del niño y la de su familia.

Hay que llevar una vida equilibrada, sin caer en la psicosis de la ortorexia nerviosa (un comportamiento obsesivo que significa «obsesión por la comida sana»), sin ser demasiado puntillosos a la hora de averiguar hasta qué punto son genuinos los alimentos, sin convertirse en maníacos de la actividad deportiva y del ritmo sueño-vigilia.

Para crecer, para vivir y para envejecer con buena salud, reaccionando frente a las enfermedades con las fuerzas con que contamos, antes que recurriendo a los fármacos, hace falta aprender a respetar nuestro cuerpo. Hagamos ahora un esfuerzo y comencemos por nuestros propios hijos.

El comportamiento alimentario correcto de toda la familia

- Acostumbrar al niño a hacer un desayuno sano por la mañana.
- Durante la comida, mantener una atmósfera de serenidad en la mesa.
- Ofrecer en cada comida una amplia variedad de alimentos.
- Informarse sobre la calidad y la cantidad de alimentos que consume el niño en el colegio.
- Intentar evitar la comida rápida (véase el capítulo «Los alimentos perjudiciales: errores alimentarios y malos hábitos»).
- Evitar el consumo de bebidas dulces y zumos de fruta.
- Enseñar a los niños a tomar tentempiés sanos entre comidas.
- Limitar las actividades sedentarias; fijar el tiempo que cada miembro de la familia podrá ver la televisión o estar sentado delante del ordenador o de la consola de videojuegos, y mantenerse dentro de esos límites.
- Dar buen ejemplo como padres, desarrollando una actividad física regular y manteniendo un régimen alimentario sano.
- Si los niños más mayores tienen sobrepeso, deberán hacer al menos 60 minutos diarios de actividad física aeróbica.

El papel del desayuno

Quien come regularmente, a partir de un buen desayuno por la mañana, tiene un mayor rendimiento en el colegio y una relación mejor con los compañeros y con el ambiente que le rodea; además consigue controlar mejor su peso, porque el metabolismo funciona de una forma más equilibrada. Los niños que se saltan el desayuno suelen tener problemas académicos, prestan menos atención en clase y pueden manifestar un comportamiento agresivo.

Por la mañana el tiempo apremia; podéis levantaros unos minutos antes y, por la noche, antes de iros a dormir, dejar la mesa puesta, preparar la fruta y otros alimentos que no haya que cocinar en el momento. De esta manera tendréis hecha la mitad del trabajo. Recordad que el desayuno es el primer encuentro de la familia y de diálogo durante el día: aunque por la mañana todos están demasiado nerviosos y comen con ansiedad pensando en las tareas que les esperan, la presencia de los padres (al menos de uno de los dos) es beneficiosa, como lo es que éstos se interesen relajadamente por la actividad que realizará el niño en el colegio, para ayudarlo a afrontarla mejor.

El desayuno debe incluir leche semidesnatada no azucarada, cereales integrales (tostadas de pan integral o galletas integrales), una pieza de fruta o un zumo o batido de fruta preparado en el momento. Evitad los alimentos con un alto contenido en azúcar blanco, fácilmente absorbible, porque por la mañana provocan máximas de azúcar en sangre, aumentando rápidamente la energía que luego se manifiesta de maneras imprevistas. A este bajón energético le sucede un apetito renovado, con la consiguiente disminución de las capacidades cognitivas y relacionales del niño.

El desayuno debe estar proporcionado con la cantidad de alimentos que comerá el niño en la escuela, en la merienda y durante la cena.

Cómo organizar correctamente el almuerzo y la cena

Intentad mantener fijos los horarios de las comidas, o distribuirlos con una cierta regularidad, para evitar que vuestro hijo picotee antes de sentarse a la mesa, absorbiendo así calorías inútiles.

Recordad que los niños muy pequeños aprenden por imitación, siguiendo las costumbres (también las alimentarias) de los adultos. Éstos, a su vez, deben aceptar que el niño deje de comer cuando ya no tenga hambre, favorecer su curiosidad por los alimentos nuevos, haciéndoselos probar, pero sin insistir si los rechaza diciendo que no le gustan.

Dejad que los niños se sirvan solos, respetando sus preferencias, y no les gritéis si se dejan comida en el plato. Las comidas deben durar al menos 20-30 minutos; no forcéis a vuestros hijos a comer deprisa, porque si se sacian con demasiada premura pronto volverán a tener hambre.

Cómo regularse con la fruta y la verdura

Puede resultar difícil conseguir que un niño coma fruta y verdura; puede suceder que, dentro de la misma familia, un niño las coma y otro las rechace. Poned a su disposición una amplia variedad de fruta y hortalizas, esperando que tarde o temprano alguno encuentre la que más le guste. Pensad que en Estados Unidos sólo el 14% de los niños come regularmente fruta, y sólo el 17% come verdura.

Para modificar los hábitos alimentarios de los niños que no aprecian la fruta y la verdura hace falta tener mucha paciencia; aceptad sus rechazos, y al día siguiente volved a intentarlo. Está bien que los padres proporcionen un modelo alimentario positivo, sin sobornos («Si te comes la ensalada, puedes ver la tele»). Los niños pequeños y los más mayores suelen preferir un régimen alimentario poco variado, limitado a sus platos preferidos, y desconfían de las novedades; lo único que puede fomentar su actitud positiva futura respecto a la alimentación es una propuesta constante y variada de alimentos distintos y bien equilibrados.

No os desaniméis, y seguid poniendo en la mesa alimentos propuestos y variados; es probable que, después de negarse diez o veinte veces, el niño acepte la nueva comida (se trata, como máximo, de uno o dos meses de tentativas, pero si este tiempo no fuera suficiente seguid adelante como si nada y proseguid con los intentos: tarde o temprano, vuestro hijo capitulará).

Consejos prácticos sobre el consumo de los zumos de fruta

- No deis zumo de frutas al niño antes de que cumpla los seis meses de edad.
- No incentivéis su consumo ni siquiera cuando el niño sea más mayor.
- No le deis un zumo de fruta al niño antes de que se acueste.
- Convenced al niño de que coma la fruta entera en vez de tomarse un zumo; ésta tiene más fibra y vitaminas.
- Si el niño tiene sobrepeso o es obeso, no debe tomar zumo de frutas: en el primer caso, quitan el apetito y reducen la cantidad de alimentos que podrá comer luego; en cambio, en el segundo, provocan un depósito de azúcar excesivo que, transformado en grasa, favorece la obesidad y el sobrepeso.

Naturalmente, es imposible obligar al niño a comer un alimento que vosotros mismos no coméis; por ejemplo, si no coméis fruta es bastante difícil que vuestro hijo la coma.

Los niños son impredecibles: a veces no se comen una verdura cocida pero sí cuando está cruda, o viceversa. Para descubrirlo, no hace falta más que probar y experimentar constantemente.

Dejad que los niños os ayuden en la cocina, aunque hagan estropicios, porque tendrán más curiosidad por probar lo que han preparado ellos mismos. No les forcéis nunca a comer lo que no quieren comer, porque si no asociarán ese alimento con un episodio negativo, y odiarán la fruta y la verdura durante toda la vida.

Recordad que la porción que come un niño no es la que come un adulto: la cantidad de comida que hay que darle debe ser menor que la que coméis vosotros, y deberá ir en aumento a medida que el niño vaya creciendo.

Consejos prácticos para prevenir el sobrepeso y la obesidad

Para todos los niños

- Buscad la manera de que el desayuno siempre sea a la misma hora, si hace falta levantándoos un cuarto de hora antes.
- El almuerzo y la cena también deben tener un horario regular.
- Los niños deben comer algo a las 10 en la escuela y merendar a las cinco de la tarde en casa, o mientras juegan.
- No hagáis que los niños coman entre comidas, exceptuando lo que tomen de merienda, ni siquiera fruta o verdura. Usad la fruta y la verdura como «aperitivo» sólo si el niño tiene sobrepeso.
- No uséis las pastas y los dulces como recompensa.
- No dejéis al alcance de los niños en casa alimentos y bebidas azucaradas.
- Evitad los tentempiés ricos en azúcar, grasas y calorías, como las pastas, los refrescos azucarados y los zumos de fruta.
- Si durante la comida el niño dice que está saciado o no quiere comer, no insistáis.
- Limitad la ingesta de proteínas, y reducid la carne, los huevos y los quesos, sustituyéndolos por pescado.
- No asociéis nunca los diversos tipos de proteínas, como la carne, el pescado, el queso y los huevos.
- Haced que el niño juegue mucho al aire libre, aunque sea invierno: el movimiento y el frío le ayudarán a quemar calorías.
- Reducid las horas que el niño se pasa delante de la tele o jugando con los videojuegos.
- Si el niño suele frecuentar los restaurantes de comida rápida, organizad después una intensa actividad física, para que queme las calorías excesivas.

Consejos prácticos para prevenir el sobrepeso y la obesidad (cont.)

Para los niños con sobrepeso

(además de los consejos anteriores)

- Modificar los hábitos alimentarios de la familia. Los padres no sólo deben prohibir, sino dar ejemplo.
- Eliminar de la nevera toda la comida-basura.
- Hacer una «compra sana»: comprar productos biológicos e integrales.
- Sustituir las bebidas-basura por agua, aunque se puede «aromatizar» con zumo de limón o similar, té hecho en casa, fruta o yogur.
- La comida debe ser un momento de encuentro y conversación; mientras coméis no miréis la tele.
- Convenced a los niños de que no coman demasiado deprisa.
- No favorezcáis la costumbre de «repetir», ni en casa ni en la escuela.
- Preferir los alimentos hechos en casa, usando sólo condimentos de primera calidad.
- Acostumbrar a los niños a comer siempre pequeñas cantidades de fibra (las frutas y verduras frescas tienen muchas), que ralentizan el tránsito intestinal, reducen la absorción de grasas y favorecen la evacuación.
- Moderar la cantidad de alimentos y mejorar su calidad.
- No usar la comida como premio.
- Acompañar el consumo ocasional de comida en los restaurantes de comida rápida con los momentos de intensa actividad física.
- Poner un límite al tiempo empleado para ver la televisión y para jugar con la videoconsola.
- Hacer que el niño participe en actividades físicas diarias (ir al colegio a pie, subir las escaleras).
- Animarle a practicar un deporte, mejor si no es competitivo, durante al menos una hora al día.

Consejos prácticos para prevenir el sobrepeso y la obesidad (cont.)

Para toda la familia

- Dedicar al menos una hora al día para realizar una actividad aeróbica moderada (desplazarse a pie, subir las escaleras, jugar a pelota, ir en bici).
- Programar al menos seis horas semanales de actividades deportivas (si es posible aeróbicas).
- No sentarse delante del ordenador o del televisor más de una hora diaria.
- Durante el recreo en la escuela, los niños deben participar en juegos de grupo, correr y moverse.
- Reducir los alimentos con alto índice glucémico y una elevada carga glucémica (pan blanco, patatas fritas, zumo de fruta, refrescos, chucherías).
- Comer al menos cinco veces al día (desayuno abundante, comida a media mañana, almuerzo completo, merienda y cena frugal). Al menos tres veces al día hay que comer fruta fresca del tiempo.
- Preferir la cocción al vapor, en caldereta o al horno. Para condimentar, usar el aceite de oliva o de semillas oleaginosas exprimidas en frío.
- Bebed agua en proporción a la comida ingerida.
- La subdivisión correcta de las proteínas cada semana debe ser la siguiente:

  — 2 veces carne;
  — 6 veces pescado;
  — 4 veces legumbres;
  — 1 vez queso;
  — 1 vez huevos.

Qué hacer cuando el niño come en el colegio

Es importante estar informado sobre lo que el niño come en el colegio: conocer la cantidad y calidad de la comida que se le da durante el almuerzo; saber si los alimentos se cocinan allí o son precocinados; si se sirve fruta y verdura con regularidad; si los ingredientes son integrales o refinados; si el menú es equilibrado y si las recetas no son demasiado elaboradas.

El objetivo fundamental de esta información es equilibrar la alimentación escolar con la casera, poniendo en práctica día tras día un sistema alimentario óptimo para evitar el sobrepeso y la obesidad, y para integrar las vitaminas y las sales minerales cuando no estén presentes.

Cómo regular el consumo de tentempiés entre comidas

Enseñar a un niño (y a un muchacho) a elegir solo la merienda puede ser útil dentro del ámbito de una dieta sana. No es cierto que comer algo entre horas sea una mala costumbre que favorece la obesidad; al contrario, evita que las comidas sean demasiado abundantes y contribuye a distribuir mejor durante toda la jornada los aportes energéticos, evitando la acumulación de grasa. La merienda y el piscolabis de media mañana no deben ser una pasta industrial o una bebida edulcorada: si queremos una dieta sana, esas porciones de alimento también deben serlo.

Cuando a media mañana o a media tarde el niño está cansado y desconcentrado, necesita alimentos bajos en grasa y en azúcares simples, para favorecer la recuperación de energía sin provocar un aumento brusco del azúcar en sangre. Un consejo para los padres: se puede aprovechar la sensación de hambre del niño o el muchacho más mayor para convencerlo de que coma fruta y verdura. No obstante, recordad que los alimentos sanos pueden no sentar bien si se consumen en gran cantidad.

- La hora de la merienda no debe acercarse mucho a la del almuerzo o la cena, para que los niños, ya hartos, se salten la comida principal. Entre una y otra debe transcurrir al menos una hora y media.
- Intentad respetar los horarios establecidos, ya sea para el tentempié de media mañana o para la merienda.
- A media mañana hay que tomar alimentos ligeros que no quiten el apetito para la hora de almorzar.
- Para la merienda es conveniente tener en casa fruta y verdura fresca, si es posible ya cortada y lista para su consumo.
- Tened en la despensa una provisión de alimentos sanos adaptados a la merienda: barritas de cereales integrales, de sésamo o de pipas de girasol; frutos secos; pan integral; leche con bajo contenido graso o yogur semidesnatado. Organizaos de manera que el niño tenga a su disposición alimentos buenos y poco calóricos, para que se pueda servir él mismo.
- Enseñad al niño a que no coma justo después de acabar el almuerzo o la cena.
- Aprended (y enseñad) a regular las porciones: no dejéis que el niño coma cuanto quiera, aunque se trate de fruta y verdura.
- A medida mañana no le deis alimentos dulces, sobre todo si se trata de productos industriales.
- No acostumbréis a vuestro hijo o hija a comer como y donde quiera durante la jornada. Incluso cuando sea muy pequeño no le deis un trozo de pan para que esté tranquilo: así aprendería a comer fuera del horario de las comidas y desordenadamente.
- No dejéis que el niño beba refrescos edulcorados de ningún tipo. Permitid que ingiera bebidas con sales minerales sólo después de que haya realizado al menos una hora seguida de ejercicio.

La alimentación durante la adolescencia

Los problemas de peso entre los adolescentes

El mito del aspecto físico atractivo y de la línea esbelta (por no decir demacrada) que han impuesto las modelos y los personajes del mundo del deporte y del espectáculo seduce a los jóvenes (sobre todo a las chicas), que quieren obtener fácilmente un cuerpo «perfecto», ignorando los riesgos que hacen correr a su salud.

Al principio de la pubertad puede ser normal un ligero sobrepeso; si la alimentación es correcta y la actividad física es adecuada, este problema se resolverá en poco tiempo sin necesidad de someterse a dietas insensatas y que supongan un peligro para la salud y para el desarrollo físico y mental. La presencia de unos padres en forma y sanos puede ayudar al adolescente a superar su desilusión inicial frente a un aspecto físico que no coincide con sus expectativas.

Cuándo se forman las células grasas

Hemos visto cómo el primer desarrollo de las células grasas tiene lugar en el periodo prenatal: de hecho el niño, cuando nace, tiene como media un 10 % de tejido graso respecto a su masa corporal.

- Durante el primer año de vida, la masa grasa aumenta únicamente a la par que el volumen de las células, y no con su proliferación numérica.
- Durante el segundo año de vida, si no intervienen factores externos negativos (malos hábitos alimentarios y tendencia familiar al sobrepeso o a la obesidad), el porcentaje de tejidos grasos se reduce considerablemente.
- Durante toda la primera infancia, las células aumentan de número; se produce un pico de crecimiento de las células grasas que se corresponde con el principio de la pubertad, al final de la cual su número será igual a la de un individuo adulto.

En la práctica, la pubertad es la fase de la vida donde hay más riesgo de que aparezca una obesidad permanente. Por eso, durante la adolescencia es importante mantener un peso adecuado respecto a la estatura, para evitar (o reducir) la posibilidad de ser obesos de adultos.

Los estudios e investigaciones realizados han confirmado que un adolescente obeso se convierte fácilmente en un adulto obeso, mientras que es más fácil que un niño obeso o con sobrepeso en la primera o segunda infancia recupere un peso normal.

Los perjuicios permanentes de una relación equivocada con los alimentos

Casi con total seguridad, la relación que tenga un adolescente con la comida tenderá a permanecer invariable durante toda la vida. Por eso, si adopta un régimen alimentario incorrecto, será dificilísimo que lo mejore salvo pagando el precio de modificar radicalmente su estilo de vida; pero, también en este caso, pueden tener lugar «recaídas» o, peor, el o la joven pueden caer en comportamientos patológicos como la bulimia y la anorexia.

Las dificultades psicológicas que acompañan a los cambios físicos

Los cambios de peso y de estatura del adolescente van acompañados de modificaciones psicológicas y relacionales que crean la necesidad de afirmar la propia autonomía y la propia capacidad de juicio respecto a los padres y al ambiente que los rodea o en el proceso de organizar la propia cotidianidad y proyectar el futuro.

El adolescente siente la exigencia de afirmar su propia personalidad también a través de su relación con los alimentos, para tener una buena imagen dentro del grupo que frecuenta. El físico de los adolescentes cambia rápidamente, y los jóvenes esperan que los demás les proporcionen una confirmación positiva de su nuevo aspecto; por desgracia, son los peores críticos de sí mismos y a menudo no se aceptan, lamentándose constantemente de sus propios defectos y, por tanto, dando a sus padres motivos de exasperación.

Los padres, a su vez, deben ser comprensivos y apoyar a su hijo o hija, porque si no favorecerán que los hijos caigan en una peligrosa espiral de rechazo contra sí mismos y contra su aspecto físico; esta actitud puede reflejarse en el comportamiento alimentario, y el adolescente puede empezar a seguir una de esas dietas «hágalo usted mismo», nutriéndose desequilibradamente y juzgando el progreso o el fracaso de las dietas simplemente por las lecturas de la báscula, e imponiéndose un peso que debe alcanzar.

En cambio, existen otros parámetros que hay que tener en cuenta (en especial la masa grasa, la masa magra y el contenido de agua en el cuerpo) para obtener información fiable sobre el estado de salud y sobre el peso forma; pero estos parámetros sólo los puede establecer adecuadamente un médico o un dietista. Cuesta mucho que un adolescente acepte esta idea: los estudios e investigaciones confirman que, aparentemente, para adelgazar de maneras y en plazos improbables, los adolescentes no conocen otro sistema que el de comer mal.

Los errores alimentarios más frecuentes

La «dieta» que se inventan los adolescentes consiste, generalmente, en una serie de errores alimentarios: por ejemplo, consumen demasiadas proteínas de origen animal, demasiados azúcares simples, mientras que es escasa o nula la cantidad de alimentos integrales y, por tanto, de fibra. Además, prefieren alimentos que contienen demasiadas grasas saturadas y grasas vegetales hidrogenadas; demasiadas calorías o demasiado pocas; tienden a saltarse el desayuno, a abusar de los tentempiés entre comidas, de los refrescos edulcorados y, convencidos de que eso les ayudará a adelgazar, se saltan la comida o la cena.

Raras veces la familia consigue influir en el comportamiento de un adolescente que en lugar de comer sano come bollería, porque, en general, el joven rechaza los consejos y propuestas de sus padres para seguir el modelo y los patrones alimentarios que dicta la moda, los anuncios publicitarios o las «filosofías» que provienen de sus amigos.

El adolescente con problemas de peso tiene dificultad para que le acepten y, aunque sea el centro de su grupo, puede caer fácilmente en crisis depresivas y tener una escasa autoestima. Por tanto, intenta resolver solo esos problemas, sometiéndose a dietas inútiles, saltándose una o dos comidas o alimentándose de barritas energéticas como sustitutivo de los alimentos.

No resulta fácil hacer sugerencias a los padres de un joven que tiene una crisis alimentaria. Es cierto que no deben imponerle reglas rígidas que le quiten la libertad de elegir, pero, al mismo tiempo, no se le puede abandonar a sus recursos sin proporcionarle ninguna guía. Lo ideal sería ayudarle a entender y a aceptar sus dificultades, guiándolo sin imposiciones.

Consejos prácticos para ayudar a un adolescente con problemas de peso

- Acostumbradlo a desayunar regularmente.
- Enseñadle a escoger en casa alimentos sanos, de modo que se habitúe a tomarlos cuando coma fuera de casa.
- Cada día, reuníos como mínimo una vez para comer juntos.
- Explicadle cómo comer entre horas alimentos sanos.
- Convencedlo de que los refrescos edulcorados engordan y son perjudiciales.
- Explicadle que es inútil saltarse comidas.
- Animadlo a que realice una actividad física regular.
- Transmitidle el respeto por su propio cuerpo, y el placer de llevar una vida sana.
- Los dos padres deben estar presentes y ser partícipes de las elecciones alimentarias y deportivas del hijo o hija.
- Si el sobrepeso es evidente, acudid a un dietista.

La importancia del desayuno

Numerosos estudios han puesto de manifiesto que los adolescentes tienden a saltarse el desayuno. Por lo general, las motivaciones son las mismas: «Por la mañana no tengo hambre»; «Prefiero dormir diez minutos más»; «El desayuno engorda, y si me lo salto, adelgazaré».

Los padres deben hacer lo posible para que esto no suceda, porque saltarse el desayuno provoca unos desequilibrios que dificultan el control del peso; de hecho, los mecanismos metabólicos del organismo tienden a acumular los alimentos de más, transformándolos en grasas de reserva. Paradójicamente, privar al organismo de alimentos puede contribuir al aumento de peso.

Además, ir al colegio en ayunas reduce la capacidad de aprendizaje y hace que el rendimiento del alumno sea menor. Dedicarse a una actividad deportiva con el estómago vacío hace que el rendimiento sea inferior.

Algunas alternativas válidas al desayuno tradicional pueden ser las siguientes:

- comer fruta entera, con piel (manzana, pera), o bien fruta que se pele fácilmente (kiwi, mandarina, plátano);
- elegir barritas de cereales sin azúcar añadido, sin grasa y sin chocolate;
- tomar yogur desnatado sin azúcar, quizá con trozos de fruta añadidos en el momento de consumirlo;
- beber un zumo de naranja sin azúcar añadido;
- comer un bocadillo pequeño de queso sin grasa, o bien uno de jamón serrano magro o bresaola;
- comer un puñado de frutos secos pelados (nueces, avellanas, piñones) sin aditivos ni conservantes.

La importancia de comer en familia

Para los adolescentes, la vida en familia pierde buena parte de esa fascinación que antes les servía de apoyo, mientras la escuela, las actividades extraescolares, los amigos y el deporte absorben buena parte de su tiempo. Comer todos juntos una vez al día, dependiendo del trabajo de los padres, es una costumbre importante y muy educativa. De hecho, la comida en familia proporciona las siguientes ventajas:

- mejora la comunicación entre padres e hijos;
- habitúa a los jóvenes a hablar durante la comida;
- permite a los padres conocer mejor a sus hijos, reforzando así los vínculos familiares;

- crea un clima favorable para educarles en una alimentación correcta;
- ofrece la posibilidad de cambiar opiniones con los hijos, ya sea los relativos a la vida familiar o a temas de actualidad.

La importancia de no saltarse comidas

Pero, aparte de todo esto, el hecho de comer juntos nos hace entender la importancia de no saltarse las comidas, una mala costumbre que tienen muchos adolescentes.

- Saltarse una comida y luego consumir alimentos hipercalóricos e hiperproteínicos, ricos en ácidos grasos (peligrosos para las arterias) es una costumbre peligrosa, que hay que evitar por todos los medios.
- Saltarse comidas para adelgazar es claramente contraproducente. El adolescente que se salta una comida comerá fácilmente el doble durante la siguiente, forzando a su metabolismo a gestionar fatigosamente los recursos para mantener un equilibrio adecuado entre la necesidad calórica y la ingestión de alimentos. Explicad a los jóvenes que, para perder peso, hace falta subdividir bien los alimentos (al menos cinco al día) y hacer alguna actividad física. Los estudiantes que también hacen deporte se darán cuenta de que saltarse una comida hace que rindan menos en el colegio y en el gimnasio: la merma energética les pasará factura, reduciendo la eficacia muscular y la reactividad cerebral tanto en la respuesta como en el aprendizaje.

La importancia de hacer deporte

La actividad física es indispensable para todos, pero sobre todo para los adolescentes. Cuando los jóvenes practican deporte regularmente, mejoran su rendimiento físico y académico, y forjan una relación más sana con su propio cuerpo.

El deporte practicado con regularidad mejora el metabolismo y la masa muscular: para obtener buenos resultados hace falta dedicar al menos una hora diaria a una actividad física. Lamentablemente, los únicos que respetan esta frecuencia son los jóvenes apuntados en una sociedad deportiva y controlados por un entrenador.

Las estadísticas nos dicen que a los 12 o 13 años, el 69 % de los muchachos realiza regularmente una actividad deportiva (fútbol, natación, tenis, paseos en bicicleta), mientras que a los 18-20 años este porcentaje se reduce al 38 %. La familia y la escuela no parecen fomentar estas actividades: las horas previstas en el centro de estudios para la educación física se reducen a dos por semana, y quien practica un deporte de competición no sólo no está respaldado por la escuela, sino que a menudo se le penaliza.

Además, para un muchacho con sobrepeso la práctica deportiva puede convertirse en una auténtica tortura: en realidad, pocas veces logrará ser competitivo y alcanzar unos resultados apreciables. Los padres deben estar encima para permitirle iniciar o reanudar gradualmente una actividad deportiva (no competitiva); quizá deban estar siempre a su lado, evitando los esfuerzos excesivos y las humillaciones. Dad juntos un paseo en bici cada tarde, caminad juntos, llevad a paseo al perro (naturalmente, a un paso sostenido); éstas pueden ser actividades útiles para dialogar con vuestros hijos, o bien aunque sólo sea para moverse. Comprad un «podómetro» (a los adolescentes les encanta la tecnología) para cada miembro de la familia, y poneos como objetivo mínimo dar 1.000 pasos cada tarde; el adolescente será el primero en darse cuenta de lo poco que camina y de qué sencillo es, con un poco de ejercicio, alcanzar el objetivo.

Cuando el o la adolescente ya esté «curtido» y pueda afrontar un esfuerzo físico mayor, inscribidlo en una sociedad deportiva, dejándole que elija la disciplina que prefiera (tenis, natación, bicicleta, gimnasia de mantenimiento, esquí de fondo). Podéis intentar encontrar amigos con su mismo problema e iniciar con ellos un periodo de «reconstrucción» de la imagen propia, física y mental. Un grupito bien afianzado y solidario mantiene mejor el esfuerzo, y desarrollar con otras personas una actividad no competitiva puede ser no sólo saludable, sino también divertido. Organizar una tarde para que los adolescentes vayan al gimnasio, a la piscina o a dar una vuelta en bicicleta puede convertirse en una excelente manera de «despegar» al joven de la silla.

Naturalmente, estos esfuerzos sólo tienen sentido si los padres dan buen ejemplo, enseñando con la práctica el respeto y el cuidado por uno mismo.

La importancia de aceptarse uno mismo

La televisión y las revistas muestran a los adolescentes una imagen estereotipada del aspecto físico de moda, dándoles una visión poco realista de aquello en lo que querrían convertirse.

Cada uno de nosotros tiene el potencial y unos límites determinados por las oportunidades que nos ofrece la vida, el estilo de vida y la predisposición genética. No todas las personas son altas y esbeltas: muchas sólo consiguen mantener un peso adecuado a costa de sacrificios, pero no por ello se sienten inferiores o perdedores respecto a quienes, por naturaleza, son delgados y atractivos.

Es responsabilidad de los padres enseñar a los hijos a aceptar su propia imagen y a mantenerse sanos y en forma, para que vivan con serenidad. Si un adolescente se siente amado como es, tanto por su familia como por sus amigos, aceptará más fácilmente su aspecto, y al final intentará mejorarlo aprovechando al máximo su potencial pero sin perjudicarse.

Cuando los problemas requieren la intervención de un especialista

Cuando el adolescente, chico o chica, intenta seguir una dieta por su cuenta, rehuyendo vuestro control, prestad atención porque los trastornos alimentarios pueden desembocar en una patología realmente peligrosa (anorexia, bulimia). Si os parece que un adolescente engorda o adelgaza muy repentinamente, no dudéis en llevarlo al especialista.

Aunque sin caer en los extremos, recordad que los cambios repentinos de alimentación son muy peligrosos; seguir la dieta «del yogur», «de la sopa», la «que no tiene carbohidratos» o «la hiperproteica» no sólo no hará adelgazar al adolescente con sobrepeso, sino que será perjudicial para su salud. Si vuestro hijo quiere perder peso, y además tiene razón al quererlo, habladlo seriamente para organizar con él o ella un plan que incluya una alimentación correcta y una buena actividad física; dejad que os haga partícipes de su programa: entonces os será más fácil aconsejarle. Tened presente que el organismo de un adolescente está desarrollándose, y por tanto tiene unas necesidades nutricionales bien precisas. Explicadle que no debe esperar resultados inmediatos, sino que debe ganárselos con paciencia. Estaría bien que aceptase someterse al seguimiento de un especialista.

Un adolescente (y no sólo él) es especialmente sensible a las falsas promesas que garantizan soluciones inmediatas a sus problemas, y además con poco esfuerzo: a los padres les toca guiarlo, vigilando su salud y haciéndolo razonar. De hecho, sólo un plan global puede afrontar y resolver los problemas del sobrepeso y de la obesidad.

Qué se debe hacer con un niño que tiene sobrepeso

Para intervenir si un niño padece sobrepeso o es claramente obeso no basta con consultar al pediatra, recurrir a medicinas o, simplemente, obligarle a hacer un poco más de actividad física: como ya hemos dicho, es necesaria una estrategia familiar resuelta y solidaria, porque al niño le ayudará la participación de sus padres, una alimentación correcta, un estilo de vida adecuado y, naturalmente, la actividad física.

Modificar la calidad de vida

Los niños obesos o con sobrepeso pueden tener graves problemas de salud, ya sea física o psicológica.

- En el capítulo «El hecho de que un niño sea gordito ¿perjudica a su salud?», ya indicamos las enfermedades causadas por la obesidad (diabetes, hipercolesterolemia, trastornos cardiovasculares, hipertensión, etc.), que se «abonan el terreno» durante la infancia.
- Además, el niño gordito suele ser simpático y jovial por naturaleza, pero a menudo es objeto de bromas e insultos por parte de otros niños: esas experiencias tienden a aislarlo, haciéndolo

sentirse excluido del grupo y cada vez más solo. Si no puede participar en los juegos comunitarios, en los partidos de fútbol, en las carreras deportivas, no quemará energía y tenderá siempre a refugiarse en la comida; se pondrá a comer a solas delante del televisor o del ordenador y, por tanto, seguirá engordando.

Los alimentos que prefiere el niño con sobrepeso son a menudo los más ricos en grasas y azúcares (chocolate, galletas, dulces, patatas fritas, refrescos edulcorados), los que tienen un alto contenido en calorías, desequilibrados y, con frecuencia, tóxicos o dañinos para el organismo.

Veamos un ejemplo significativo:

- una pastilla de chocolate equivale a 50 kcal;
- un pastelito con chocolate, a 185 kcal;
- un pastelito con chocolate, cereales y leche (23,5 g), a 127 kcal;
- un barquillo relleno de chocolate con leche y avellanas, recubierto de chocolate con leche (21,5 g), a 121 kcal;
- una rosquilla de avena integral con miel (100 g), a 392 kcal;
- un helado con nata, a 220 kcal;
- 50 g de cacahuetes tostados y salados, a 300 kcal.

De estos datos se deduce que al comer desequilibradamente es muy fácil engordar.

Lo primero que pueden hacer unos padres para ayudar a un niño o un adolescente con problemas de peso es cambiar su propia actitud. Si vuestro hijo goza básicamente de buena salud, pero tiene sobrepeso o es obeso, quiere decir que en la educación que ha recibido y en la alimentación que le dais hay alguna cosa que no funciona; quizá no tenéis una relación lo bastante estrecha o, por el contrario, estáis siempre encima de él, impidiéndole expresarse libremente. Modificar los hábitos cotidianos es obligatorio para un adulto y complicado para una familia, pero para un niño que se siente solo, es incluso más difícil.

- Si os parece que vuestro hijo «se siente bien con su cuerpo», y que en el fondo su aspecto físico no le desagrada, no debéis convencerlo para que adelgace a toda costa; simplemente, hay que enseñarle una manera de comer más sana e involucrarlo en una vida más activa. Con frecuencia los problemas se resuelven espontáneamente y, poco a poco, el niño alcanza un peso adecuado para mantener la buena salud. Dicho sin tapujos: si es gordo porque también lo son sus padres pero se alimenta correctamente y realiza una actividad deportiva, no hace falta preocuparse mucho: es el médico quien tiene la tarea de supervisar la salud de toda la familia.

- En cambio, cuando la familia tiende a tener un peso normal y come de forma sana y regular, pero los padres no tienen tiempo para controlar al niño, puede suceder que éste, sintiéndose abandonado a sus propios recursos, aumente mucho de peso; en este caso cabrá repasar la relación entre los padres, el hijo y el entorno en el que vive.

Cuando os dais cuenta de que vuestro hijo padece sobrepeso y empezáis a preocuparos por su salud, se lo debéis hacer entender con delicadeza, para que no se vuelva aún más inseguro. No lo hagáis sentir incómodo, ridículo o indeseado, porque en el grupo de sus compañeros ya le penalizan con estas actitudes.

Vuestra tarea consiste en estar cerca de él, pasar tiempo a su lado, enseñarle a comer también fruta y verdura (y vosotros con él). Es importante que hagáis juntos una actividad deportiva; que vayáis al gimnasio, que dejéis de fumar (quien fume), dándole en definitiva un ejemplo de vida sana y activa. De hecho, el ejemplo es mejor que muchos discursos.

La mayor participación familiar en el tratamiento y en la prevención del sobrepeso y de la obesidad obtendrá mejores resultados que todas las dietas y las visitas al especialista.

Sin embargo, tened cuidado de no forzar demasiado al niño: por ejemplo, dejad que elija el deporte que quiera practicar, aunque vo-

Consejos prácticos sobre las actividades deportivas y la alimentación sana

Actividades deportivas que hay que hacer juntos
- Correr o dar paseos a buen ritmo junto con toda la familia.
- Nadar en la piscina al menos una hora.
- El domingo, en vez de ir al cine, salir a pasear al aire libre.
- Practicar esquí de fondo o descenso.
- Ir a patinar por las calles de la ciudad o junto al mar (si es posible).

Para una alimentación sana
- Comer verdura fresca como aperitivo.
- Comer una pieza de fruta para merendar.
- Cenar un plato único.
- Tomar un desayuno abundante y rico en frutas y fibra.
- Comer juntos (siempre que lo permita el trabajo y la escuela).
- Si se come en un restaurante de comida rápida, evitar las salsas, los refrescos edulcorados y las patatas fritas.

sotros prefirieseis otro; lo importante es que lo practique con regularidad.

Intentad convencerlo con la ayuda del pediatra de que, si pierde peso, estará mejor y se cansará menos al hacer las pequeñas actividades cotidianas (jugar, subir las escaleras, acompañaros a hacer la compra); explicadle bien qué debe comer y cómo hacerlo, y estableced con él un programa que deba seguir, haciéndolo responsable de sus actos.

Hacer que el niño establezca algunos objetivos

Un niño con sobrepeso puede, con la ayuda de sus padres, establecer algunos objetivos sencillos que podrá alcanzar gradualmente, y que le ayudarán a recuperar su peso normal.

Consejos prácticos para modificar la calidad de vida de un niño con sobrepeso

- Llevad al niño a que lo visite un pediatra sensible al problema del sobrepeso y de la obesidad, para que establezca su IMC (véase el capítulo «¿Mi hijo está gordo o es obeso?») y os guíe para realizar un programa de alimentación equilibrado.
- Pedid al pediatra una dieta que tenga en cuenta los alimentos que el niño toma en el colegio.
- Arreglad las cosas para que cuando el niño coma en el colegio no le den raciones dobles o triples de comida, y para que coma regularmente fruta y verdura (si es posible, mejor antes de las comidas).
- Dejad que durante dos semanas el niño coma y haga lo que quiera; luego, escribid con él un resumen de todo lo que ha comido, de cuánto tiempo ha pasado sentado delante de los videojuegos o de la televisión, y de cuánto tiempo ha realizado una actividad física. Leed o comentad juntos este resumen, señalando las «porquerías» que ha comido y el tiempo que ha pasado sentado, y alabándolo por las porciones de fruta y verdura y de alimentos sanos que ha tomado, por las veces que ha hecho un buen desayuno por la mañana y por la actividad física realizada.
- Redactad juntos unas normas sencillas sobre la alimentación y el movimiento, y fijad pequeños objetivos que haya que alcanzar cada dos semanas. Al final de cada periodo, hablad juntos de las reglas y de las metas.
- No tengáis prisa por alcanzar éxitos arrolladores; concedeos tiempo: los resultados válidos sólo se obtienen a fuerza de constancia. No transmitáis al niño el ansia de tenerlo todo y ya mismo.

Los factores indispensables para la salud del niño

El primer objetivo para hacer adelgazar a un niño con sobrepeso es convencerlo de que lo pruebe. Realmente es muy difícil conseguir que no coma sus alimentos favoritos (pizza, patatas fritas, hamburguesas, bollería con chocolate), pero, pensando en su salud, conviene adoptar una postura firme y determinada.

Los buenos resultados se obtienen sólo mediante una estrecha concatenación de factores:

• los padres deben estar presentes y dispuestos a colaborar;
• la alimentación debe ser adecuada, teniendo bien presentes los principios nutricionales de los alimentos;
• el estilo de vida debe ser activo cada día;
• debe practicar deporte regularmente, al menos una hora diaria.

• Durante dos semanas puede reducir a la mitad la cantidad de bebidas con gas, bollería y galletas que solía comer normalmente, aumentando al mismo tiempo la cantidad diaria de fruta y verdura de una a dos piezas o porciones. Debe hacer regularmente cinco comidas al día, evitando comer entre ellas. Por cada hora que dedique a ver la tele debe dedicar otra a jugar. Debe empezar a frecuentar regularmente, dos veces por semana, un grupo deportivo que le guste.

• A continuación, durante cuatro semanas sucesivas puede reducir los refrescos dulces y la comida-basura, ingiriendo tres piezas o porciones de fruta y verdura al día. Debe seguir haciendo cinco comidas al día, y evitar picar entre ellas. Puede ver la televisión por la tarde o con los amigos, pero en contadas ocasiones. Debe jugar al aire libre después de haber hecho los deberes, y frecuentar un equipo deportivo cuatro veces a la semana. Los domingos debe estar con sus padres, e ir a hacer *footing* con ellos, jugar o dar largos paseos, a pie o en bicicleta.

- Durante cuatro semanas más deberá consolidar los resultados obtenidos: dejar de consumir refrescos edulcorados o con gas; no comer más comida-basura; comer alguna «porquería» sólo durante las fiestas o como transgresión esporádica. Cada «debilidad» debe ir seguida de un periodo de actividad deportiva intensa, para consumir todas las calorías que ha ingerido en exceso. En este periodo, el niño podrá darse cuenta de lo satisfactorio que es pasar más tiempo con sus padres, jugar con sus amigos y pasar más rato al aire libre.

- Al final, los padres pueden acompañar al niño al pediatra para controlar los resultados. En general, el mismo niño está satisfecho de la calidad de vida que ha alcanzado, y tiende a mantenerla y a mejorarla con el tiempo.

Controlar el índice glucémico de los alimentos

Para regular el consumo de los alimentos sin estar vinculado con una dieta demasiado rígida, se puede consultar el índice glucémico de los alimentos y su carga glucémica (son conceptos sinérgicos).

- El *índice glucémico* es un valor de referencia relativo a la velocidad con que una cantidad establecida de azúcar simple (la glucosa) entra en el riego sanguíneo, después de haberla introducido en el estómago. Se ha fijado en 100 el valor máximo.

- La *carga glucémica* también tiene en cuenta la cantidad de alimentos ingerida: la liberación de insulina (la hormona que permite utilizar el azúcar) es mayor cuanto más elevada es la carga glucémica de los alimentos.

Conociendo el índice glucémico y la forma de cocinar y preparar los alimentos se puede tener una idea de cuál será su carga glucémica.

Además del índice y de la carga glucémica, hay que tener presente que los azúcares, gracias a la insulina (hormona producida por el páncreas), se almacenan en las células como reservas y, cuando las células están saturadas, se convierten en grasas.

Los azúcares, transformados en grasas y almacenados en las células (adiposas) producen la energía necesaria para vivir; este proceso lo favorece el glucógeno y lo obstaculiza la insulina.

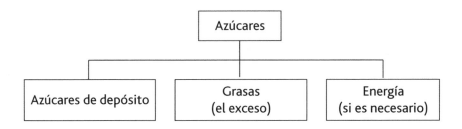

Las proteínas también se pueden transformar en azúcares y, cuando las reservas están saturadas, se convierten en grasas.

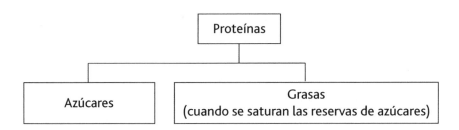

Cuando se realiza un proceso de transformación de un macronutriente a otro, el resultado óptimo es la síntesis de energía, mientras que otro, menos positivo, es el almacenamiento de las grasas.

El aumento de la grasa corporal es el resultado de una alimentación desequilibrada, debida a un exceso de alimentos o a una dieta demasiado rica en calorías y en azúcares.

La elección de los alimentos basada en el índice glucémico

Alimentos son un índice glucémico de 5 a 40
(que deben consumirse diariamente)

- Fruta fresca cruda (pera, manzana, fresas, aguacate, frambuesas, arándanos, mandarina, albaricoque, naranja, zumo de limón).
- Hortalizas y verduras frescas (lechuga, judía verde, calabacín, guisantes frescos, pimiento, hinojo, acelgas, endivias, col, champiñones, brécol).
- Olivas, avellanas, brotes vegetales, almendras, leche de almendras, piñones, tofu.
- Chocolate negro (con más de un 70 % de cacao), cacao sin azúcar.
- Leche y yogur descremados.
- Pasta integral, cereales integrales, muesli integral (sin azúcar añadido).
- Legumbres frescas y secas, soja, tofu.
- Crustáceos.

Alimentos con un índice glucémico entre 40 y 80
(que deben consumirse cada 2 o 3 días)

- Pasta cocida al dente, palomitas de maíz, arroz integral, pizza, patatas hervidas o a la «papillote».
- Plátanos.
- Pescado, albaricoques secos, ciruelas.
- Pan integral, kamut integral, avena, guisantes en lata, cebada, arroz integral, arroz basmati largo, alubias frescas.
- Coco, higos secos.
- Zumo de naranja sin azúcar.
- Kiwi.
- Zumo de piña sin azúcar.
- Zumo de manzana sin azúcar.
- Zumo de tomate.
- Chocolate con leche, leche de soja, yogur entero, helado sin azúcar.

La elección de los alimentos basada en el índice glucémico (cont.)

Alimentos con un índice glucémico entre 80 y 100
(que deben limitarse a una vez por semana)

- Conserva de pescado, melón.
- Ketchup, mermelada con azúcar, azúcar blanco, galletas de pastaflora, pastas de bollería, brioches, dulces, bebidas con gas.
- Pan blanco, arroz blanco, galletitas saladas, puré de patata, patatas al horno, zanahorias, patatas fritas.
- Helados naturales o industriales, miel.
- Pasta de grano entero o muy cocida, paella, cereales refinados y azucarados, arroz con leche, harina blanca, ravioli, polenta.

Siguiendo los esquemas de la página 142, aunque con alguna dificultad inicial, se consigue reducir las calorías y mejorar la alimentación del niño y de toda la familia.

- Tened en cuenta que las proteínas de la leche y de los productos lácteos favorecen especialmente el crecimiento de las células adiposas y la producción de insulina. Es mejor limitar su consumo, considerando que, normalmente, un niño consume casi el triple de sus necesidades (leche por la mañana, yogur a media mañana, pastas y tentempiés a base de chocolate con leche, queso).
- Recordad que los azúcares derivados de los cereales de origen industrial (fécula de patata y de maíz; harinas refinadas en general; pan blanco; galletas; patatas fritas, al horno o en puré con leche añadida; pasta de grano entero) son perjudiciales para el organismo, porque aumentan la producción de insulina y, en consecuencia, la de grasa. Es mejor sustituirlas por azúcares de absorción lenta, como los contenidos en los cereales integrales.

Resumiendo

Éstos son los consejos fundamentales sobre los alimentos, adecuados para toda la familia.

Los alimentos para el desayuno

- Preferid la leche de soja o de almendras, sin azúcar añadido. Si el niño no la quiere, diluid al 50 % la leche de vaca con la de almendras. Podéis añadir cacao en polvo sin azúcar.
- Podéis añadir a la leche cereales integrales no azucarados o copos de avena, de trigo, de cebada, o también muesli integral de cultivo ecológico, sin azúcar.
- Proponed al niño pan integral y mermelada con bajo contenido de azúcar (eliminad la crema de chocolate para untar, que contiene azúcar añadido, ácidos grasos trans y proteínas de la leche).
- Podéis usar una pequeña cantidad de mantequilla.
- Ofreced al niño galletas de harina integral, ricas en fibra y escasas de azúcares simples.
- Acostumbrad al niño a desayunar fruta de todo tipo, incluyendo los frutos secos (cuidado con el contenido de azúcares y conservantes; son preferibles los productos biológicos).

Los alimentos para la merienda

- Podéis proponer al niño que coma pan integral, con mantequilla y mermelada, o con aceite y azúcar de caña, miel integral o chocolate fundido (70 % de cacao).
- Como alternativa, puede comer un bocadillo de pan integral con atún, salmón, jamón serrano sin grasa o bresaola con aceite; o bien con rodajas de rosbif y verdura cruda; con queso de oveja o de cabra semicurado.

Consejos prácticos

- Usad sobre todo alimentos con un índice glucémico inferior a 40.
- Limitad la leche o el queso a 4-6 veces por semana, prefiriendo en su lugar el de leche de oveja y de cabra.
- Se permiten los embutidos dos veces por semana.
- Evitad las patatas fritas y las harinas refinadas, el arroz blanco, los dulces con leche, el azúcar y el sirope de glucosa.
- No deis al niño refrescos edulcorados, prefiriendo beber todos agua mineral (o ligeramente gaseosa).

- También es correcto darle un trozo de bizcocho casero elaborado con harina integral, azúcar no refinado, aceite de oliva virgen extra y poca mantequilla.
- La fruta fresca y los frutos secos siempre son adecuados.
- Para beber, dadle zumo de fruta fresca, recién exprimido en casa.
- Si le gusta, puede elegir un producto a base de leche (o yogur), pero sólo cuatro veces por semana.
- Los productos de panadería industrial pueden estar bien sólo si son biológicos, preparados con harina integral; también si contienen pipas de girasol o de sésamo, frutos secos (nueces, almendras y piñones) y no tienen azúcar.

Los alimentos para el almuerzo

- Empezad con un entrante de verdura cruda o una ensalada aliñada con aceite de olvida virgen extra y, si os gusta, vinagre balsámico.
- El primer plato puede consistir en cereales y legumbres (pasta integral y judías o lentejas), o bien un plato de pasta integral con tomate o con salsa de verduras.

- El segundo plato será a base de carne, pescado o huevos (tres veces por semana), cocinados al horno o a la plancha, sin grasas añadidas. Servidlo con guarnición de verduras cocidas.
- Como postre, sólo fruta; de vez en cuando, los dulces se pueden tomar de merienda.

Los alimentos para la cena

- Por costumbre, servid un plato único, aconsejable para todos.
- Evitad las proteínas de origen animal.
- Empezad con un entrante de ensalada o verdura cruda.
- Luego, proponed una menestra de verduras con pasta o arroz integral, o un plato de pasta o arroz integral con aceite, tomate y parmesano, o con legumbres.
- Acabad la cena con fruta fresca.

El deporte en familia: cómo divertirse juntos

La importancia de ser cada día más activo

Por lo general, los niños y los adultos no suelen dar más de 2.000-2.500 pasos al día, cuando deberían dar al menos 5.000 (a un ritmo constante) para obtener algún beneficio, ya sea como prevención o como solución para el sobrepeso. Un niño que va al colegio está sentado al menos 6-7 horas diarias; todas las organizaciones mundiales que se dedican a la infancia recomiendan al menos hacer seis horas de gimnasia a la semana; sin embargo, por citar tan sólo un ejemplo, el programa deportivo ministerial italiano prevé sólo una hora de gimnasia a la semana en las escuelas de primaria, dos en las de secundaria y dos en las superiores, y eso sin contar con la dificultad que tienen los alumnos que, además, practican un deporte de competición. En realidad, una actividad física diaria de tipo aeróbico, con un buen consumo de energía y útil para el corazón y los pulmones, debería ocupar al menos una hora al día, asociada con un estilo de vida activo.

Para estar en forma: la regla de los 10.000 pasos

El uso de un instrumento sencillo como un podómetro durante el día puede ayudarnos a constatar que normalmente caminamos

El podómetro: un buen regalo para todos

El podómetro es un buen regalo que podéis hacer a toda la familia; permite medir cuánto se camina al día y cuánta energía se consume. Existen podómetros de todo tipo; los más habituales son pequeños y prácticos para llevarlos a todas partes; su precio oscila entre 10 y 40 euros.

- El podómetro tradicional funciona sin pilas, y registra mecánicamente la oscilación de la pierna. Para conocer la distancia (en metros) recorrida durante un paseo o una excursión, basta regular el aparato adaptándolo a la longitud de nuestro paso.

- Existen versiones más modernas, que tienen casi las mismas dimensiones que las tradicionales, pero que se pueden regular en función del paso (paso normal o jogging); además, disponen de una pantalla de cristal líquido retroiluminado, que convierte los pasos en kilómetros recorridos; tienen calculadora automática de las calorías quemadas, temporizador, medidor del ritmo cardíaco, reloj e incluso radio incorporada.

poco, y no nos referimos solamente a los desplazamientos realizados al aire libre. Después de verificar este dato, y de darnos cuenta de la urgencia de hacer movimiento, estaría bien reflexionar sobre cómo podemos hacer que nuestra vida sea un poco más activa.

- Por ejemplo, en vez de subir en ascensor hacedlo regularmente por las escaleras.
- Limitad el uso del automóvil, caminando más con vuestro hijo.
- Asignaos a vosotros mismos, o pedid a vuestro hijo que haga algún pequeño recado (por ejemplo, ir a comprar el pan o el diario), andando o en bicicleta.
- Cuando acompañéis a vuestro hijo, aparcad el coche a cierta distancia de la escuela (o del centro deportivo), para que podáis dar un paseo juntos.

- Dad largos paseos en bicicleta con vuestros hijos.
- Sacad juntos a pasear al perro.
- Bailad con vuestros hijos escuchando su música favorita.
- En cuanto os despertéis, si no conseguís levantaros en seguida, haced un poco de ejercicio físico para activar la circulación, aun sin levantaros de la cama (por ejemplo, la «bicicleta», con las piernas levantadas).
- Después de desayunar, no dejéis que el niño se apoltrone delante del televisor.
- Llevadlo regularmente al parque.

Siguiendo estas reglas, alcanzar los fatídicos 10.000 pasos al día (que es un buen sistema para mantenerse en forma) no debería ser tan difícil; en este punto será fácil controlar tanto vuestro peso como el de vuestro hijo. Si todos los integrantes de la familia disponen de un podómetro, podréis hacer competiciones a ver quién camina más un día, una semana o un mes; el premio será un objeto o una prenda deportiva.

Juegos de movimiento para todos

Además de hacer que los niños pasen mucho tiempo al aire libre, organizando con frecuencia excursiones y salidas para hacerles correr y jugar en el campo (experiencias que también sirven para reforzar la unidad familiar y para formar el carácter), intentad descubrir o redescubrir algunos juegos de vuestra infancia sustituidos hoy día por el ordenador y la televisión: cada padre podrá recordar algunos que añadir a la lista de los que proponemos en estas páginas.

Por la tarde, o los domingos, se puede invitar a los amigos de los niños, acompañados por sus padres, para jugar a algo o para que socialicen en pequeñas fiestas, de tal manera que tanto niños como adultos estén en movimiento y se diviertan juntos.

Las mini-Olimpiadas

Se puede organizar unas actividades atléticas al aire libre, dividiendo a los participantes en varias categorías: niños, adolescentes y adultos. El número de los participantes es ilimitado.

- Antes que nada, estableced las reglas, que deberéis respetar sin excepciones; por tanto, será indispensable la presencia de un adulto que haga de juez. Para evitar descontentos y malos humores, es mejor dejar claro ya de entrada cómo se consiguen los puntos, y anotar en un cuaderno todo el desarrollo de las pruebas.
- Decid a los participantes que serán ellos quienes hagan de árbitros (aun contando con la presencia del adulto que hará de juez) en las especialidades en las que no compitan.
- Si el espacio es limitado, podéis participar uno a uno (por ejemplo, en el salto de longitud y en la carrera de obstáculos), mientras el árbitro cronometra el tiempo y lo anota en el cuaderno.
- Después de haber repartido los premios, se puede concluir la tarde al aire libre con una merienda sana y natural, bebiendo agua o zumo de frutas del tiempo.
- No es fácil encontrar un local lo bastante grande o un jardín privado, pero, con un poco de fantasía y buena voluntad, os podréis reunir en el jardincillo al lado de la escuela o en el patio de la parroquia.

Una tarde temática

Para que los niños jueguen se les pueden ofrecer temas específicos: por ejemplo, El primer día de escuela, La Navidad, El Carnaval. Así se evita encontrarse en momentos como ése sólo para ir a comer una pizza. En el fondo, lo que más interesa a los niños es jugar y divertirse todos juntos.

Salto de longitud

Una línea marcada en el suelo (con tiza o, mejor, polvo de tiza o arena) indicará el punto de partida. Se medirá la longitud del salto con un metro extensible. Lo ideal sería poder saltar sobre la hierba.

Tiro a la canasta

El objetivo es alcanzar, con una pelota de tamaño medio, una cesta colocada a una cierta distancia, que a cada intento irá colocándose más lejos.

Carrera

Se puede optar por una carrera de velocidad. Son indispensables un cronómetro y un espacio lo bastante grande como para que puedan correr juntos todos los niños.

- *Variante*: estableced un tiempo y contad cuántas vueltas al campo (o al jardín) consigue dar cada participante.

Carrera de relevos

Los niños, mientras corren, deben pasarse un «testigo» (por ejemplo, una botellita de plástico). Ganará el equipo que complete en menos tiempo todo el recorrido.

Salto de altura

Dos paraguas (o bastones) clavados en el suelo sostienen una cuerda que, después de cada salto, se eleva unos centímetros.

Gincana

Es necesario fijar un recorrido para la carrera, donde se coloquen pequeños obstáculos o se fijen acciones que deberá hacer el participante.

- *Por ejemplo*: saltar 10 veces sin moverse del sitio; correr hasta una mesa para hacer pasar unas pelotitas de una caja a otra;

correr saltando a la cuerda cinco veces; hacer dos volteretas antes de volver al punto de partida.

Los juegos de siempre para todas las ocasiones

Aprovechaos de que los niños juegan todos juntos y organizaos entre los padres para preparar, al final de las pruebas, una merienda sana. Por ejemplo, se trata de una ocasión excelente para dar a los niños fruta: una manzana que coman en compañía les parecerá sin duda más sabrosa que la que puedan comer en casa después de una comida.

Saltar a la cuerda
- *Número de jugadores*: un mínimo de dos.
- *Lugar*: espacioso, mejor al aire libre.

Después de preparar dos recorridos de 5 metros, en el punto central se tiende una cuerda a unos 10 cm de altura. Los niños participan de dos en dos, con un pañuelito sobre la cabeza. Deben llegar hasta la cuerda, saltando a la pata coja, superarla con un salto y volver atrás saltando sobre el otro pie. Si se les cae el pañuelo se les penaliza con un punto: antes de seguir, deben detenerse, recogerlo y ponérselo en la cabeza (siempre a la pata coja). El adulto, que hará de juez de la prueba, apunta en el cuaderno el tiempo y las penalizaciones. Cada punto supone añadir 20 segundos al tiempo real; ganará quien haga la prueba en menos tiempo.

La carretilla
- *Número de jugadores*: ilimitado, pero siempre pares.
- *Lugar*: al aire libre o en una habitación.

Trazad una línea de salida y una de llegada. Los jugadores se colocan en parejas. Uno de ellos coge por los tobillos a su compañero, que debe avanzar caminando sobre las manos. Gana la pareja que llegue antes a la meta.

El cazador

- *Número de jugadores*: ilimitado.
- *Lugar*: espacioso, al aire libre o en una habitación.

Se nombra a un «cazador»: deberá correr y capturar a las «presas», es decir, a todos los otros compañeros del grupo.

El «pisaglobos»

- *Número de jugadores*: ilimitado.
- *Lugar*: al aire libre o un lugar espacioso.

Se delimita con un círculo el terreno de juego. Luego se ata con un cordel al tobillo de cada participante un globo inflado, que deberá arrastrar por el suelo. Mientras suena la música, cada jugador intentará hacer explotar los globos de los otros, vigilando que nadie pise el suyo; gana quien, al terminar la canción, sigue con el globo sujeto al tobillo. Si queda en el terreno de juego más de un concursante, se vuelve a empezar hasta que no quede más que uno.

Los juegos de movimiento para jugar solo

En casa también se pueden hacer juegos activos donde sólo participe un niño. Es cierto que jugar acompañado es más divertido, pero el objetivo es impedir que el niño esté quieto, aunque sea en un apartamento: por ejemplo, usando una pelota sobre la que pueda sentarse y rodar.

También hay pequeños ejercicios de resistencia, como estar tumbado boca arriba en una alfombra, con los brazos extendidos por encima de la cabeza, e intentar elevar la pelvis del suelo contrayendo los glúteos.

Si el niño debe perder peso, resulta útil anotar de vez en cuando el tiempo que tarda en hacer estos ejercicios y el progreso realizado, diciéndole siempre lo bien que lo ha hecho.

La carrera de canguros
- *Número de jugadores*: ilimitado.
- *Lugar*: espacioso.

Marcad una línea de salida y una de meta. Los jugadores deben llegar a la meta saltando con los pies atados.

Los deportes más adecuados para un niño obeso o con sobrepeso

Según datos obtenidos por el Istat, sólo el 48% de los niños entre 6 y 10 años practica un deporte regularmente. El porcentaje aumenta entre los 11 y los 14 años (53, 2%), pero se reduce claramente entre los 15 y los 24 (34, 9%).

Con mucha frecuencia, los niños abandonan la actividad deportiva porque alguien se la había impuesto, porque no la practica ninguno de sus amigos, porque no conocen a nadie en el gimnasio, porque el entrenador no es simpático o, simplemente, porque no les gusta el tipo de deporte elegido.

Lamentablemente, el niño que deja de hacer deporte a menudo aumenta de peso; si sale de su grupo de amigos y no consigue socializar se siente frustrado y sigue comiendo mucho, pasando del sobrepeso a la obesidad. Por este motivo es necesario enseñarle (sobre todo sus padres y profesores) la importancia que tiene la actividad física y el deporte, entendidos como competición o como momento educativo de socialización.

Por tanto, el deporte tiene un valor doble para los niños: educativo y de control de peso.

Además es formativo, porque enseña a resistirse al sufrimiento, a renunciar a lo superfluo y a soportar las decepciones; en pocas palabras, a crecer.

Todas las actividades deportivas que se le propongan a un niño obeso o con sobrepeso deben ser aeróbicas, es decir, que permitan

Las actividades motoras para el niño menor de 6 años

En torno a los 6 años de edad el niño tiende a engordar. Las células de sus tejidos acumulan grasa y multiplican su número. Si el niño de 6-8 años aumenta de peso descontroladamente, esto puede preparar el terreno para la aparición de numerosas enfermedades que podrían afectarlo de adulto.

Los padres deben estar atentos cuando es demasiado precoz el «efecto rebote», es decir, el «retorno de la grasa» (el nuevo aumento de peso después de la primera infancia; véase el capítulo «¿Mi hijo está gordo o es obeso?»), por ejemplo antes de los 5-6 años, porque existe el riesgo de que, al crecer, el niño se vuelva obeso.

También es importante favorecer la actividad psicomotora del niño pequeño, contribuyendo a un proceso natural y espontáneo que consigue controlar el aumento de peso.

Con un material adaptado al niño y personalizado, se pueden desarrollar más en el niño los hábitos motrices fundamentales, el equilibrio, la motricidad global y manual, respaldando su desarrollo psicomotor e induciéndole a que más adelante opte por practicar un deporte. Este enfoque, además de contribuir al control del peso, induce una mejora en el equilibrio de su aprendizaje y fomenta la capacidad de comprensión y la memorización.

El niño mejorará su capacidad de control del equilibrio (por ejemplo, manteniéndose sobre un pie); de manipulación (lanzando o cogiendo una pelota con las manos); de posición (girando sobre sí mismo rápidamente sin perder el equilibrio); de transmisión de la fuerza cuando está quieto (tirando de algo) o en movimiento (dando una patada a un balón). Estas prácticas le servirán para orientarse mejor en los juegos colectivos o individuales; le enseñarán gradualmente el respeto por las reglas y le proporcionarán reacciones automáticas útiles para cuando practique actividades deportivas más exigentes.

Esta premisa y estos consejos no van dirigidos solamente a los niños que tienen la suerte de poder correr y jugar al aire libre; son muy importantes para los que viven en una ciudad, en espacios cerrados.

El esfuerzo coordinado de los docentes de la guardería y de los padres favorecerá un gasto energético adecuado en el niño, inducirá un desarrollo físico más equilibrado y controlará mejor su producción de células grasas.

un mayor consumo de grasas (gracias a un movimiento moderado que usa el oxígeno para proporcionar la energía necesaria para las contracciones musculares) y, en concreto, de las grasas contenidas en los tejidos adiposos (es decir, las células de la grasa). Un ejercicio ligero pero regular permitirá un mayor consumo de grasas y les resultará más sostenible tanto al niño como a su familia, sobre todo porque podrá practicar ese ejercicio en cualquier parte. Todas las modalidades deportivas incluidas a continuación se han elegido basándose en estos parámetros.

El atletismo

Este tipo de disciplina deportiva es la más útil para controlar el peso de un niño y para favorecer su adelgazamiento, haciendo que su desarrollo musculoesquelético sea armónico.

- *La carrera lisa, de obstáculos, el salto de longitud y de altura, el lanzamiento de peso, de jabalina y de disco* son muy eficaces para un niño con sobrepeso.

Como no podemos detenernos sobre cada uno, nos limitamos a recordar que el salto de longitud o el lanzamiento de peso son prácticas deportivas anaeróbicas (actividades que conllevan esfuerzos intensos y de poca duración), pero la preparación atlética que exigen las hace interesantes para quien padece sobrepeso.

- En cambio, *la carrera, la marcha*, y también el *«fitwalking»* (el «arte de caminar») son actividades atléticas aeróbicas, que son además las más fáciles de practicar en familia.

La carrera no competitiva es la manera más indicada de perder peso y de mejorar el rendimiento cardiovascular y muscular. Existe la posibilidad de que, si el niño no forma parte de un grupo de amigos alegres y simpáticos, las sesiones de entrenamiento puedan resultarle molestas, lo cual le inducirá a la larga a abandonar la práctica deportiva. Hay que conseguir habituar al niño a la carrera: correr no es la única manera en que se queman las calorías asociadas con el uso de la grasa contenida en los tejidos adiposos (células grasas), pero si se entrena con constancia, el organismo seguirá quemando la grasa para producir energía. Además, logrará controlar mejor el estímulo del hambre, reducir el riesgo de estreñimiento y aumentar al mismo tiempo la velocidad del tránsito intestinal, reduciendo la absorción de grasas a través del intestino.

Para la carrera, la marcha y el *fitwalking* no hay límites de edad: la única condición es que la actividad física sea lenta, regular y constante.

A partir de los 6-8 años, el niño puede empezar a competir.

Caminar y correr no son deportes caros, ni exigen un equipo especial. Basta con inscribir al niño en una asociación deportiva de atletismo, comprar calzado deportivo adecuado para correr y unos pantalones cortos, una camiseta y un sobretodo (prendas que, normalmente, ya forman parte del vestuario de un niño).

En general, el entrenamiento se realiza 3-4 veces por semana, pero el sábado y el domingo los padres deben salir a caminar con el niño, ya sea para mantenerlo activo o para estar con él y motivarlo en su esfuerzo.

La natación

La natación es un deporte aeróbico y completo que contribuye a un desarrollo psicofísico armónico. Sin embargo, nadar solo en la piscina puede resultar aburrido; por eso, también en este caso, es mejor inscribir al niño en un grupo donde pueda entrenarse con otros de su edad, participando en una competición sana y haciendo amigos nuevos; todo esto le ayudará a mejorar su eficacia cardíaca, respiratoria y muscular, así como la coordinación de sus movimientos.

Por lo general, la natación propiamente dicha empieza en torno a los seis años; antes de esa edad, el niño prefiere jugar en el agua. Hacia los 10 años ya puede empezar a participar en competiciones.

Para la natación tampoco hace falta disponer de un gran equipo: basta un traje de baño, un gorro de natación, unas gafas, un albornoz y unas zapatillas de plástico para poder ducharse con ellas puestas. El precio de la inscripción a una asociación deportiva de natación puede ser elevado, porque comprende el uso de las instalaciones de la piscina, pero se trata de una cifra asequible. Por lo general, los resultados son excelentes, sobre todo en el caso de niños con sobrepeso o con asma.

En resumen, la natación puede practicarla toda la familia en la piscina y en el mar, y puede convertirse en una manera de jugar y de divertirse todos juntos.

El fútbol

Todo niño, ya desde muy pequeño, tiene el instinto de darle una patada a cualquier pelota que se le ponga por delante. El fútbol parece casi un deporte «innato», que simplemente se ha organizado y reglamentado más tarde. En el caso de que un niño con sobrepeso forme parte de un equipo, está bien hablar con el entrenador para explicarle que el niño, además de durante los partidos, debe hacer más ejercicio, sobre todo correr y saltar todo lo posible. Por lo general, los niños empiezan a jugar al fútbol a partir de los cinco años, aunque lo cierto es que a esta edad es mejor que hagan atletismo o gimnasia.

El fútbol requiere un calzado especial, un sobretodo de gimnasia, una camiseta y unos pantalones cortos (si juega en un equipo, serán de un color determinado). La inscripción en el grupo deportivo y el uso del campo tienen un precio más elevado respecto al de otros deportes, pero por lo general los niños (sobre todo los varones) siempre están dispuestos a jugar al fútbol. Si además el entrenador le gustan los entrenamientos de tipo atlético, el fútbol permitirá también que el niño realice una discreta actividad física de tipo aeróbico.

El ciclismo

La bicicleta es un medio de transporte económico y ecológico, y permite realizar una actividad sana. El niño aprende muy pronto a ir en bici y, si la usa frecuentemente (los padres pueden organizar excursiones dominicales), difícilmente tendrá problemas de sobrepeso. El ciclismo es un deporte individual que se puede practicar en grupo; el niño debe decidir personalmente el paso de la diversión a la actividad deportiva y, al final, competitiva. Sea como fuere, se trata de un ejercicio estupendo porque pone en funcionamiento los músculos, el corazón y el aparato respiratorio, facilitando un consumo notable de calorías; además favorece el adelgazamiento e impide el sobrepeso.

La edad para empezar a ir en bicicleta es subjetiva; generalmente, está entre los cuatro y los seis años, y después de los siete se puede empezar a formar parte de un grupo deportivo.

Para practicar el ciclismo, primero hace falta una buena bicicleta, y luego un equipo adecuado (casco, calzado y sobretodo de ciclista, *culotte* y camiseta), y luego inscribirse en una sociedad deportiva. Si no se compran equipos de alto nivel, el gasto general entra dentro de unos límites aceptables.

Además del ciclismo de carretera también se puede practicar fuera de ella o con la *mountain bike*, en la montaña, modalidades que combinan el aspecto deportivo con el amor por la naturaleza y con la vida al aire libre y que, por tanto, tienen un doble papel educativo.

El esquí

El esquí es un deporte excelente que aumenta el amor por la montaña y por la naturaleza, favoreciendo una vida sana al aire libre y fomentando la socialización. Se puede practicar en todas sus formas: descenso por pista, fuera de pista, esquí de fondo. Sin embargo, tiene límites: su precio es considerable, y esto lo hace accesible a pocas personas, y además tiene la peculiaridad de ser estacional (sólo se esquía donde y cuando hay nieve). Para el esquí de descenso, el precio del equipo es elevado, como lo es también el del *forfait*; el esquí alpino fuera de pista es peligroso para los niños y adolescentes.

Es preferible practicar esquí de fondo, ya sea por el precio limitado del equipo como por sus características. Es un deporte aeróbico que refuerza el corazón, los pulmones y los músculos; como la carrera, la natación y el ciclismo, se realiza en zonas llanas o con pocos desniveles, reduciendo así el riesgo de accidentes. Representa la alternativa invernal (para quien se lo pueda permitir) a los otros deportes aeróbicos, y permite a toda la familia hacer una actividad física y, al mismo tiempo, divertirse.

Un niño puede empezar a esquiar a partir de los 4-6 años, dependiendo de la pista y de su disponibilidad para afrontar ese esfuerzo. Para practicar el esquí de fondo hace falta que disponga de unos esquís adaptados a su tamaño (finos y con sujeciones especiales), unos pantalones impermeables y una chaqueta que proteja del viento, un gorro caliente o un casco (si el niño tiene menos de 14 años), guantes y botas.

El patinaje sobre ruedas

Desplazarse con patines tradicionales o en línea es una alternativa válida a la carrera y a la bicicleta, porque se trata de un deporte aeróbico y poco caro, que se puede practicar en cualquier parte, en la calle y las plazas, sin necesidad de instalaciones especiales. Pone en movimiento todos los grandes grupos musculares: los de las piernas (al dar impulso hacia delante), los abdominales (para el control postural), los músculos dorsales y los de los miembros superiores (para el equilibrio); además, favorece la socialización y pueden practicarlo padres e hijos juntos. Se pueden aprovechar los domingos, incluso en la ciudad, para ir a patinar y gastar energía divirtiéndose, sin tener que gastar mucho dinero.

A los cuatro años el niño puede empezar a patinar con los patines clásicos, para pasar, a los seis, a los patines en línea.

Para practicar el patinaje sólo son necesarios unos patines y una calle sin tráfico; hoy día se intenta proteger a los niños con rodilleras, coderas y un casco homologado. La inscripción en un grupo deportivo supone un gasto mayor, pero participar en carreras puede ser un estímulo adicional para el niño.

El tenis

El tenis es un deporte individual que plantea cierta controversia. No es lateralizador, como podríamos pensar, es decir, que no tiende a desarrollar un lado del cuerpo más que el otro, a menos que el niño ya esté predispuesto a hacerlo; en este caso, la práctica del tenis debe ir acompañada de un programa de gimnasia adecuado para aumentar su resistencia al esfuerzo prolongado, así como su capacidad de responder rápidamente a las exigencias de devolver la pelota una y otra vez.

El tenis desarrolla el sentido táctico, la velocidad de respuesta, la capacidad de observación y, desde el punto de vista psicológico, la voluntad y la perseverancia. La utilidad del tenis para controlar el peso es proporcional a la preparación atlética a la que se someta el joven tenista.

Se puede comenzar a jugar al tenis a partir de los siete años, cuando el niño ya tiene un buen control de su gestualidad y es lo bastante fuerte como para sostener una raqueta en la mano. Puede empezar a competir a partir de los nueve años.

Los deportes de pista (baloncesto, voleibol)

El baloncesto es un deporte completo que desarrolla toda la musculatura, las extremidades superiores e inferiores y la capacidad respiratoria; además, estimula el espíritu de observación y favorece el control de los movimientos y la capacidad de resistencia. El voleibol también es divertido e interesante, pero para mantener el peso correcto el baloncesto es el más indicado, porque el esfuerzo del juego es más prolongado y las recuperaciones son activas (se corre sin cesar a diversos ritmos, más velozmente durante las acciones, más lentamente en las recuperaciones), y se consumen más calorías.

A los 5-6 años se puede empezar con el mini-baloncesto o el mini-voleibol; más adelante, más que en el caso de otros deportes, es mejor seguir las inclinaciones del niño a participar en más o menos competiciones o torneos.

El equipo para este deporte colectivo, que no es especialmente caro, consiste en el calzado deportivo y el uniforme del club al que se pertenece; no hay más gastos, aparte de los de inscripción en algún torneo.

La gimnasia artística y rítmica, la danza clásica y moderna, el patinaje sobre hielo

Todas estas formas de actividad deportiva son, fundamentalmente, aeróbicas, y permiten al niño controlar el sobrepeso.

Se trata de deportes muy estructurados que exigen determinación y espíritu de sacrificio a quienes los practican, pero si el niño está motivado y los padres le apoyan se pueden obtener resultados interesantes desde el punto de vista de la salud o del desarrollo psicológico.

A modo de conclusión

Con el tiempo, una buena alimentación, unida a una actividad física constante, favorece el crecimiento psicofísico armonioso y equilibrado. Algunos deportes son idóneos para socializar, otros para probarse, otros para hacer una actividad física con los familiares y con los amigos; todos son útiles para evitar el sobrepeso y la obesidad. Además, favorecen la buena relación y la complicidad con los padres, y enseñan al niño a respetar su propio cuerpo y a amar la vida.

RECETAS LIBRES DE GRASA
PARA TODOS

Cómo cocinar correctamente los alimentos

La cocción modifica el gusto y las propiedades nutritivas de muchos alimentos. Por esto es importante elegir el método correcto.

La cocción a vapor

La cocción a vapor es un método estupendo para reducir el uso de las grasas, para conservar las proteínas, las vitaminas y las sales minerales, y para hacer que los alimentos sean más digeribles; sin embargo, hay que tener presente que se tarda bastante en cocinar al vapor un alimento. Es un método idóneo para cocinar fruta, verdura y carne o pescado en trozos pequeños.

La cocción

Cocer los alimentos los hace más ligeros, pero también les hace perder cierta cantidad de proteínas y de vitaminas. La carne, el pescado en rodajas, las verduras se meten en agua hirviendo, mientras que es mejor sumergir la carne en agua fría para hacer el caldo, los pescados enteros, las patatas y las legumbres. Este tipo cocción no exige la adición de grasas.

El estofado

El estofado es un método de cocción a baja temperatura; también se le llama cocción «en húmedo» o a «fuego lento». La liberación gradual de calor permite mantener casi inalterada la calidad nutritiva de los alimentos, y no perder el agua, las sales minerales y los otros elementos solubles. Sin embargo, se pierden algunas vitaminas, mientras que la presencia de grasas condensadas en el fondo de cocción provoca un desequilibrio de los valores nutricionales.

El grill y el asador

Estos tipos de cocción tienen lugar por contacto o por irradiación de una fuente de calor; permiten cocer la carne y el pescado sin añadirles grasas, porque aprovechan las que ya están presentes en los alimentos. También se pueden hacer al grill las verduras, pero con cuidado, para evitar la pérdida excesiva de agua.

Si algunas partes de la carne, el pescado o las verduras se carbonizan al entrar en contacto directo con la fuente de calor, en ellas se formarán derivados del benzopireno (hidrocarburo policíclico aromático), que pueden tener un fuerte efecto cancerígeno; por tanto, hay que evitar que los alimentos cocinados al grill o en el asador se quemen (de todos modos, un consumo esporádico no supone un riesgo grave para la salud).

La cocción en la olla a presión

La olla a presión, muy rápida, utiliza las elevadas temperaturas y permite un ahorro de tiempo considerable y una pérdida mínima de sales minerales. En cambio, se pierden muchas vitaminas hidrosolubles, y se produce una alteración notable del gusto de los alimentos.

La cocción en el microondas

El microondas cuece los alimentos transmitiendo energía electromagnética a las moléculas de agua contenidas en los alimentos. La energía contenida en las ondas electromagnéticas, transformada en calor, cuece el alimento sin alterar su estructura molecular; por tanto, no debería provocar ningún tipo de perjuicio a quien consume regularmente alimentos cocinados de esta manera.

La fritura

Los alimentos fritos contienen un elevado aporte calórico, dado que entran en contacto con grasas animales o vegetales a alta temperatura. La fracción de grasas que se adhiere a los alimentos es variable, dependiendo del aceite empleado y de la técnica de cocción (fritura por inmersión, sofrito): por tanto, no es posible cuantificar con exactitud las modificaciones calóricas que afectan a la comida frita.

Durante la fritura, cuando el aceite alcanza el punto de humo (ver también el capítulo «Los alimentos perjudiciales: errores alimentarios y malos hábitos»), también se pueden producir sustancias tóxicas que se transmiten a los alimentos. El punto de humo es la temperatura en la cual el aceite desarrolla sustancias perjudiciales para la salud. Este fenómeno es inconfundible: cuando vemos una nubecilla de humo que se desprende del aceite hirviendo significa que se ha formado acroleína, una sustancia que irrita la mucosa gástrica e intoxica el hígado.

Es importante conocer el punto de humo de las grasas empleadas normalmente para freír los alimentos.

- Aceite de girasol: 110-130° C.
- Aceite de soja: 130-160° C.
- Aceite de maíz: 160° C.
- Aceite de cacahuete: 180° C.

Consejos prácticos para cocinar los alimentos de forma sana

- Es mejor la cocción al vapor, al grill o a la plancha y usar la cocción normal, o bien usar la olla a presión.
- Evitad el contacto de las llamas con los alimentos.
- Escoged, si es posible, un grill vertical, para evitar que el aceite empleado empape la carne o el pescado.
- Tirad la grasa de la carne acumulada en el horno, porque las altas temperaturas producen sustancias tóxicas.
- No permitáis que humee el aceite de la fritura, ni lo uséis demasiado. Si queréis comer algo frito, elegid aceite con un punto de humo alto, como el de cacahuete o el de oliva virgen extra.

- Aceite de oliva (virgen extra): 210° C.
- Aceite de palma: 240° C.
- Mantequilla líquida: 200-250° C (desaconsejada; contiene demasiados ácidos grasos saturados).
- Manteca: 200-260° C (desaconsejada; contiene demasiado ácidos grasos saturados).

Por regla general, la temperatura de cocción no debería ser inferior a 180° C ni superar los 220° C. No hace falta calentar demasiado el aceite para freír (no debe desprender humo), ni reutilizar el aceite de fritura.

Recetas para cualquier ocasión

Además de ofrecer en estas páginas algunas recetas para las comidas de cada día, incluimos también algunas reglas sencillas:

- usad poco aceite en las salsas y en los condimentos;
- sustituid la fritura por la cocción al horno;
- preparad los pasteles en casa, con ingredientes integrales y sin mantequilla;
- recordar la regla de las cinco porciones de fruta y verdura cada día (véase el capítulo «Los alimentos beneficiosos»).

Desayuno

Leche y copos de cereal
- *Ingredientes*: una taza de leche semidesnatada; 2 cucharadas de copos de avena integral o de copos de mijo.
- *Preparación*: dejad que los copos reposen unos minutos en la leche fría, y luego poned la mantequilla en el fuego y dejadla al menos 8-10 minutos, vigilando que la mezcla no se queme ni se pegue a la sartén. No añadáis azúcar.

Yogur «fantasía»

- *Ingredientes*: un yogur semidesnatado; una cucharada de mermelada con azúcar integral, y una cucharada de semillas de lino, o
  bien de pipas de girasol o sésamo, o una cucharada de avellanas, almendras o nueces picadas, o trocitos de fruta del tiempo.
- *Preparación*: añadid al yogur alguno de los ingredientes menciona-
  nados.

Batido energético

- *Ingredientes*: medio vaso de yogur desnatado; un plátano maduro;
  fruta fresca; una cucharada de cebada perlada; una cucharada de
  semillas de lino; una cucharada de aceite de girasol prensado en
  frío; el zumo de medio limón.
- *Preparación*: moler bien finas las semillas de lino y la cebada perlada. Mezclar los otros ingredientes con esta harina. Batirlo y consumir en el momento. Este batido también es un buen integra-
  dor de vitaminas y minerales para quien está siguiendo una dieta
  rigurosa.

Para el almuerzo y la cena

PRIMEROS PLATOS

Salsa de tomate

- *Ingredientes*: tomates frescos o tomate triturado; media zanahoria; un cuarto de cebolla; aceite de oliva virgen extra; albahaca
  fresca.
- *Preparación*: en una sartén fría echar dos cucharadas de aceite y el
  cuarto de cebolla triturada, añadir los tomates frescos cortados a
  trocitos o el tomate triturado. Agregar sal y dejar cocer durante
  unos 15 minutos. Incorporar la albahaca fresca.

Cómo preparar las ensaladas

- Preparar una ensalada es un arte. Para variar el color verde uniforme, está bien usar hortalizas como la achicoria, la lechuga, la valeriana y la lechuga larga o lechugón. Cortar las hojas finas, y añadir alguna rebanada de manzana y zanahoria rallada.
- Si el resto de la comida es ligera, podéis añadir trocitos de nueces u olivas.

Pasta tricolor
- *Ingredientes*: pasta de maíz; un calabacín; una zanahoria; 30 g de mozzarella; aceite de oliva virgen extra; mezcla de especias.
- *Preparación*: cortar el calabacín y la zanahoria en trozos pequeños, y dorarlos en la sartén con poco aceite y junto con la mezcla de especias picadas finas. Cocer la pasta de maíz en abundante agua con sal, colarla y meterla en el cazo con las verduras preparadas de antemano. Mientras se cuece la pasta con las verduras, echar la mozzarella cortada en trocitos y dejar que se funda. Servir la pasta muy caliente.

Arroz al azafrán
- *Ingredientes*: arroz integral; caldo de verdura; aceite de oliva virgen extra; azafrán.
- *Preparación*: cocer el arroz en un cazo con una cucharada de aceite y, cuando esté bien caliente, bañarlo con un cazo de caldo, mezclándolo hasta que lo absorba bien. Añadir el caldo a medida que se vaya absorbiendo; a la mitad de la cocción, agregar al arroz un vaso de caldo en el que se haya disuelto previamente el azafrán. Cuando acabe de cocerse, condimentar con una cucharada de parmesano rallado y servir caliente.

Arroz con guisantes

- *Ingredientes*: 50 g de arroz; 40 g de guisantes frescos; aceite de oliva virgen extra; caldo de verduras.
- *Preparación*: cocer el arroz en un cazo con una cucharada de aceite, echar los guisantes y añadir el caldo de verduras. Durante la cocción, ir incorporando el caldo a medida que lo absorba. El arroz debe quedar *al dente*. Si se desea, espolvorear un poco de parmesano rallado.

Crema de verduras con pasta de arroz

- *Ingredientes*: pasta de arroz; verduras de temporada (por ejemplo, remolacha, zanahorias, calabacines, calabaza, puerros).
- *Preparación*: cocer la verdura durante 30 minutos en 2 l de agua, y luego triturarla o batirla. Añadir sal, poner de nuevo la crema al fuego y añadir la pasta. Una vez acabada la cocción, condimentar con aceite crudo.

Crema de legumbres

- *Ingredientes*: mezcla de legumbres (por ejemplo, habas, guisantes, lentejas, garbanzos); una patata; un tomate (o bien tomate triturado); una cebolla; aceite de oliva virgen extra.
- *Preparación*: echar una cucharada de aceite en el cazo, calentándolo; añadir primero la cebolla y la patata cortadas a trozos, luego las legumbres y por último el tomate. Cuando esté bien caliente, verter una cantidad de agua proporcional al doble del volumen de las legumbres. Añadir sal y dejar que se cueza al menos una hora y media (si es una olla a presión, media hora); luego, pasarlo por el pasapurés y sazonar con aceite crudo.

SEGUNDOS PLATOS

Albóndigas de carne

- *Ingredientes*: 100 g de carne magra triturada; un huevo; pan rallado; una cucharada de queso rallado o cortado en escamas.

- *Preparación*: mezclar en una tarrina la carne triturada con el huevo, el queso y el pan rallado, hasta que la mezcla tenga una consistencia blanda. Dar forma a las albóndigas y pasarlas por otro recipiente con pan rallado. Colocarlas en una bandeja para horno forrada con papel de hornear y añadir un poco de aceite. Dejarlas en el horno (si es posible, con la función «grill») y, a mitad de la cocción darles la vuelta, vigilando que no se quemen. Cuando acabe la cocción, añadir sal.
- *Variante*: si queréis, se puede añadir a la masa de carne triturada un puñado de espinacas hervidas y picadas finas.

Carne empanada al horno
- *Ingredientes*: pechuga de pollo o de pavo; un huevo; pan rallado.
- *Preparación*: rebozar la carne en el huevo y después en el pan rallado. Colocar la carne empanada en una bandeja para horno forrada de papel de hornear. Meterla en el horno y dejarla cocer hasta que esté bien dorada en la superficie.

Filetes de pescado empanados al horno
- *Ingredientes*: filetes de pescado, que puede ser perca, pez espada o pescadilla; un huevo; pan rallado.
- *Preparación*: rebozar los filetes de pescado en el huevo y luego en el pan rallado. Colocarlos en una bandeja para horno forrada de papel de hornear y meterlos en el horno.

Rodaja de pescado al horno
- *Ingredientes*: una rodaja de pescado (pez espada, pescadilla o salmón); hierbas aromáticas (mejorana, tomillo, hinojo silvestre, romero); aceite de oliva virgen extra; zumo de limón.
- *Preparación*: emulsionar el aceite, el zumo de limón, la sal y las hierbas aromáticas picadas finas. Condimentar el pescado y envolverlo en papel de aluminio. Meterlo en el horno y dejarlo a 180º C durante 15-20 minutos.

Pechuga de pollo a las finas hierbas

- *Ingredientes*: una pechuga de pollo; el zumo de medio limón; perejil, salvia, mejorana, romero; aceite de oliva virgen extra.
- *Preparación*: emulsionar el aceite, el zumo de limón, la sal y las hierbas aromáticas picadas finas. Condimentar la carne y meterla en un recipiente para horno cubierto de papel de aluminio (que hay que retirar a la mitad de la cocción).

Pescado al horno

- *Ingredientes*: 2 filetes de pescado; una patata; aceite de oliva virgen extra.
- *Preparación*: cortar la patata a láminas finas y disponerlas sobre un cuadrado de papel de aluminio. Añadir los filetes de pescado sobre las patatas, rociándolo con aceite y añadiendo sal. Cerrar el paquete y meterlo en el horno, en una bandeja adecuada y a 180º C, durante 15-20 minutos.

Pavo con guisantes y zanahorias

- *Ingredientes*: 2 filetes de pavo cortados a trocitos; 100 g de guisantes; 2 zanahorias cortadas en juliana; un vaso de caldo de verduras; aceite de oliva virgen extra; romero, mejorana; olivas; harina.
- *Preparación*: hervir los guisantes y las zanahorias hasta que estén *al dente* y colarlas. Enharinar la carne y dorarla con un poco de aceite en una sartén antiadherente. Añadir las hierbas y cocer a fuego alto; cuando la carne esté bien dorada, agregar un poco de caldo y las olivas. Cuando esté a punto de acabar la cocción, añadir las verduras y probarlo. Corregir de sal y servir caliente.

Conejo a la sartén

- *Ingredientes*: medio conejo cortado en trozos pequeños; una cebolla; olivas y piñones; caldo de verdura; un cuarto de vaso de vino blanco; aceite de oliva virgen extra; romero y tomillo.
- *Preparación*: meter la carne en una sartén antiadherente con una cucharada de aceite, romero y tomillo. Cuando los trozos estén

dorados, echar el vino blanco, dejar que evapore y bañarlo con el caldo. Salar y añadir las olivas y los piñones antes de que acabe la cocción.

Para los días de fiesta y las ocasiones especiales

PRIMEROS PLATOS

Lasaña al horno

- *Ingredientes*: pasta de lasaña de trigo integral; salsa de tomate; mozzarella; parmesano; bechamel (ver la receta «Bechamel cremosa»).
- *Preparación*: meter la lasaña en agua salada, a la que se tiene que haber añadido una cucharada de aceite. Colarla y secarla con un paño de cocina. En una bandeja de horno forrada de papel de hornear, colocar la lasaña en capas y cubrirla de salsa; meter entre una y otra alguna loncha de mozzarella y una capa de bechamel, y luego espolvorear el parmesano rallado. Ir superponiendo capas de este modo. Meter la bandeja en el horno bien caliente y dejar hasta que la superficie esté bien dorada.
- *Consejos*: no hay que abusar del parmesano y, en general, de los condimentos; usar tomate frito y no ragú de carne; cuando se prepare la bechamel, sustituir la leche por un caldo vegetal; acabar la comida con una hermosa ensalada mixta.

Pasta al horno

- *Ingredientes*: pasta de trigo o de maíz, o pasta integral; salsa de tomate; mozzarella.
- *Preparación*: cocer la pasta hasta que esté *al dente* y añadirle la salsa de tomate. Añadir la mozzarella cortada a dados y el parmesano rallado. Disponerlo todo en una bandeja de horno y meterla en el horno (de ser posible, con la función «grill»).

Bechamel cremosa

- *Ingredientes*: aceite de oliva virgen extra o mantequilla; harina; caldo de verduras.
- *Preparación*: derretir 50 g de mantequilla (mejor utilizar el aceite de oliva virgen extra) y añadirle 100 g de harina, mezclándolo; luego, añadir lentamente casi un litro de caldo de verdura. Cocer a fuego lento, sin dejar de mezclar, hasta obtener una consistencia cremosa.
- *Consejos*: esta bechamel se presta a hacer más sabrosos los platos, sobre todo los que son a base de verduras, pasados por el horno (con la función «grill»).

Gnocchi a la romana

- *Ingredientes*: 250 g de sémola; leche semidesnatada; leche de soja no azucarada; un huevo; parmesano rallado; aceite de oliva virgen extra.
- *Preparación*: hervir en una olla antiadherente medio litro de leche semidesnatada y medio litro de caldo de verdura, añadiendo 250 g de sémola, sal fina y llevar a ebullición. Cocer durante cerca de 10 minutos. Añadir, con el fuego apagado, una yema de huevo y tres cucharadas de aceite. Mezclar y verter la mezcla sobre una superficie plana, si es posible de mármol; cuando esté fría, con el filo de un cuchillo mojado en agua hacer cuadraditos que luego se colocarán en una bandeja de horno, superponiéndolos ligeramente. Espolvorear sobre los *gnocchi* el parmesano rallado, y meterlos en el horno hasta que estén bien dorados.

Pasta a la *carbonara*

- *Ingredientes*: espaguetis o plumas de trigo; 3 huevos; una cucharada de panceta ahumada a dados; 2 cucharadas de parmesano rallado; aceite de oliva virgen extra.
- *Preparación*: hervir la pasta en abundante agua salada. Batir en un recipiente los huevos con dos cucharadas de parmesano y sofreír la panceta en una cazuela pequeña. Colar la pasta, volver a ponerla al

fuego y añadir la panceta. Agregar los huevos batidos con el parmesano; mezclar bien y servir caliente.

POSTRES

Sorbete de fruta casero
- *Ingredientes*: fruta de temporada; hielo.
- *Preparación*: batir suavemente la fruta con el hielo, reduciéndola hasta que casi sea puré. Meter en el congelador un mínimo de una hora antes de servir.

Tarta Margarita
- *Ingredientes*: 150 g de azúcar sin refinar; 200 g de harina integral; 150 g de maizena o de fécula de maíz; un vaso de aceite de oliva virgen extra; medio vaso de leche; 3 huevos; un sobrecito de levadura.
- *Preparación*: batir las yemas de huevo con el azúcar, incorporando lentamente el aceite, la harina, la maizena y la levadura. Batir a punto de nieve las claras e incorporarlas a la mezcla. Meter al horno durante 30 minutos a 180° C.
- *Variante*: se puede sustituir el aceite y la leche por un yogur.

Menú semanal para la prevención del sobrepeso

Lunes

- *Desayuno*: un yogur desnatado con miel integral; pan integral; fruta del tiempo.
- *Tentempié*: un kiwi o un pastelito biológico e integral.
- *Almuerzo*: ensalada de tomate; rigatoni integrales con salsa; pescado a la «papillote» con hierbas; pan integral.
- *Tentempié*: una manzana.
- *Cena*: ensalada verde; menestra de verduras con queso de oveja; verduras hervidas; pan integral; fruta del tiempo.

Martes

- *Desayuno*: leche de almendras; galletas sin gluten; fruta del tiempo.
- *Tentempié*: un pomelo o un panecillo integral con jamón salado desgrasado.
- *Almuerzo*: ensalada de achicoria; arroz integral con aceite; carne de caballo o de pavo a la plancha; pan integral.
- *Tentempié*: una naranja o una pieza de fruta del tiempo.
- Cena: ensalada verde; plumas integrales con mozzarella y tomate; alcachofas a la sartén; pan integral; una naranja.

Miércoles

- *Desayuno*: leche de soja; galletas de pastaflora con manzana; fruta del tiempo.
- *Tentempié*: una pera o un panecillo integral con chocolate fundido.
- *Almuerzo*: ensalada verde; puré de verduras; queso blando; judías verdes hervidas; pan integral.
- *Tentempié*: una rodaja de piña natural, o fruta del tiempo, o zumo de fruta exprimido al momento.
- *Cena*: ensalada de lechuga; *conchiglie* integrales con tomate; pan integral; fruta del tiempo.

Menú semanal para la prevención del sobrepeso (cont.)

Jueves

- *Desayuno*: un yogur semidesnatado; biscotes integrales con miel integral; fruta del tiempo.
- *Tentempié*: un kiwi o un panecillo con queso de oveja.
- *Almuerzo*: ensalada de achicoria; arroz integral o basmati con tomate; pechuga de pollo a la plancha; pan integral.
- *Tentempié*: una manzana o un trozo de pastel elaborado con ingredientes integrales.
- *Cena*: ensalada verde; crema de verduras; pan integral; fruta del tiempo.

Viernes

- *Desayuno*: leche de almendras o semidesnatada; galletas integrales y mermelada; fruta del tiempo.
- *Tentempié*: una naranja o un panecillo integral con jamón.
- *Almuerzo*: ensalada verde; arroz integral con aceite y parmesano; merluza con tomate; pan integral.
- *Tentempié*: un pomelo o un zumo de fruta recién exprimido.
- *Cena*: hinojos crudos; menestra de verduras; alcachofas a la sartén; pan integral.

Sábado

- *Desayuno*: un yogur semidesnatado; batido de manzana; fruta del tiempo.
- *Tentempié*: una pera o un zumo de naranja sin azúcar.
- *Almuerzo*: ensalada verde; espaguetis integrales al pesto; pescado al horno (dorada o salmón); hinojo hervido; pan integral; piña.
- *Tentempié*: fruta del tiempo.
- *Cena*: ensalada verde; puré de verduras con pasta para sopa integral; fruta del tiempo.

Menú semanal para la prevención del sobrepeso (cont.)

Domingo

- *Desayuno*: té o leche de almendras o de soja; galletas integrales y mermelada; fruta del tiempo.
- *Tentempié*: un kiwi o un yogur descremado con nueces o fruta fresca.
- *Almuerzo*: ensalada verde; macarrones integrales con verduras; pescadilla hervida; pan integral.
- *Tentempié*: una manzana.
- *Cena*: ensalada verde; arroz integral con aceite y parmesano, verduras hervidas y salteadas; pan integral.

Hay que cocinar con aceite de oliva virgen extra, exprimido en frío, sal marina integral o *tamari* (salsa de soja ligeramente salada). La cantidad de mermelada nunca debe superar 1-2 cucharaditas.

Bebed agua natural, evitando los refrescos azucarados.

Si queréis, podéis intercambiar el orden de los menús.

Bibliografía

Albanesi, R., *Il manuale completo della maratona*, Pavia, Thea, 2004.

Apfeldorfer, G., *Mangio, dunque sono*, Venecia, Marsilio, 1993.

Arcelli, E., *Il nuovo «Correre è bello»*, Milán, Sperling & Kupfer, 2005.

Binder, M., *Quel sport pour quel infant*, París, Marabout, 2005.

Boggio, V., *Que faire? Mon enfant est trop gros*, París, Odile Jacob, 2005.

Bondil, A. y Kaplan, M., *L'alimentation de la femme enceinte et de l'enfant selon l'enseignement du Dr. Kousmine*, París, Robert Laffont, 2002.

Boscherini, B., Fonte, M. T., Stoduto, S., Manca Bitti, M. L. y Buonaiuto, F., *L'obesità in età pediatrica*, Milán, Masson, 1993.

Boucher, B. y Rigal, N., *Il mange, un peu, trop, pas assez...*, París, Marabout, 2005.

Calatin, A., *Allergie alimentari e ambientali*, Florencia, Giunti, 2004.

Capano, G. y Pelletta, C., *La cucina per i bimbi*, Milán, Tecniche Nuove, 2004.

Cassuto, D. A. y Guillou, S., *Ma fille se trouve trop ronde. Commet l'aider?*, París, Albin Michel, 2005 (trad. cast.: *Mi hija se ve gordita: ¿qué decir?, ¿qué hacer?*, Barcelona, De Vecchi, 2006).

Consoni, C., *L'esercizio fisico. Domande e risposte*, Roma, Il Pensiero Scientifico, 2003.

Delong, C., *Les bienfaits du sport*, París, Flammarion, 2004.

Del Toma, E., *La dieta si fa contando i passi. Meno diete, più movimento*, Roma, Il Pensiero Scientifico, 2004.

Estivill, E., *¡A comer!: método Estivill para enseñar a comer*, Barcelona, Plaza & Janés, 2004.

Franchini, F. y Calzolari, C., *L'educazione alimentare nell'età evolutiva. Nuove acquisizioni teorico-pratiche*, Padua, Piccin Nuova Libraria, 1996.

Frelut, M., *L'obesità nel bambino e nell'adolescente. Le cause del problema e i modi per risolverlo*, Vicenza, Il Punto d'Incontro, 2005.

Garavini, D., Giacosa, A. y Travaglini, F., *Le cinque porzioni della salute*, Milán, Tecniche Nuove, 2005.

Ghisolfi, J., *L'alimentation du jeune enfant et sa santé*, Milán, Tolosa, 2004.

Kuhn, D., *Il sovrapeso nei bambini*, Milán, Tecniche Nuove, 2004.

Maggioni, G. y Signoretti, A., *L'alimentazione del bambino sano e malato*, Roma, Il Pensiero Scientifico, 1991.

Mezzera, S., *Alimentazione energetica per crescere il bambino in modo sano e naturale*, Florencia, Giunti Demetra, 2005.

Montignac, M., *Bambini sani: come prevenire e curare l'obesità infantile*, Milán, Hobby & Work, 2004.

Pitzalis, G. y Lucibello, M., *Il cibo: istruzioni per l'uso. Cosa, quanto e come mangiare per vivere meglio*, Milán, Franco Angeli, 2002.

Scaglioni, S., *Obesità essenziale in età evolutiva: prevenzione e trattamento*, Clinica Pediatrica Ospedale S. Paolo, Università degli Studi di Milano, para Plada-Plasmon dietistas alimentarios, 2004.

Senninger, F., *L'enfant obèse: le faire maigrir en douceur*, Ginebra, Jouvence Saint-Julien-en Genevois, 2005.

Sharma, H., *Radicali liberi. Come combatterli per prevenire l'invecchiamento e le malattie*, Milán, Tecniche Nuove, 1998.

Sorrentino, N., *Sovrapeso e obesità, L'epidemia del terzo millennio*. Turín, Roeder, 2000.

Thompson, C. E. y Shanley, E. L., *Overcoming Childhood Obesity*, Boulder, Colorado, Bull Publishing Company, 2004.

Trapani, G., *Bambino sempre sano*, Milán, Red Edizioni, 2003.

—, *Bambini a tavola. La giusta alimentazione per crescere sani e forti*, Florencia, Giunti, 2005.

—, *Una mamma alchimista*, Milán, Red Edizioni, 2005.

Vignolo, M., Rossi, F. y Bardazza, G., *Mi piace piacermi. Bambini e sovrappeso: un percorso di trattamento per bambini, genitori e operatori*, vols. 1 y 2, Milán, Franco Angeli, 2005.

Walker, A., *Eat, Play, and be Healthy: The Harvard Medical School Guide to Healthy Eating for Kids*, Nueva York, Mc Graw-Hill, 2005.

EL NIÑO Y SU MUNDO

Títulos publicados:

1. **Juegos para desarrollar la inteligencia del bebé** - *Jackie Silberg*

2. **Juegos para desarrollar la inteligencia del niño de 1 a 2 años** - *Jackie Silberg*

3. **Luz de estrellas. Meditaciones para niños 1** - *Maureen Garth*

4. **Rayo de luna. Meditaciones para niños 2** - *Maureen Garth*

5. **Enseñar a meditar a los niños** - *David Fontana e Ingrid Slack*

6. **Los niños y la naturaleza** - *Leslie Hamilton*

7. **Rayo de sol. Meditaciones para niños 3** - *Maureen Garth*

8. **El jardín interior** - *Maureen Garth*

9. **300 juegos de 3 minutos** - *Jackie Silberg*

10. **Educar niños felices y obedientes con disciplina positiva** - *Virginia K. Stowe y Andrea Thompson*

11. **Juegos para hacer pensar a los bebés** - *Jackie Silberg*

12. **Luz de la tierra. Meditaciones para niños 4** - *Maureen Garth*

13. **El espacio interior** - *Maureen Garth*

14. **Comidas sanas y nutritivas para el bebé** - *Marie Binet y Roseline Jadfard*

15. **El ABC de la salud de tu hijo** - *William Feldman*

16. **Cómo contar cuentos a los niños** - *Shirley C. Raines y Rebecca Isbell*

17. **Niños felices** - *Michael Grose*